Empresa
por favo.

Si está interesado en recibir información sobre libros empresariales, envíe su tarjeta de visita a:

Gestión 2000
Departamento de promoción
Comte Borrell, 241
08029 Barcelona
Tel. 93 410 67 67
Fax 93 410 96 45
e-mail: info@gestion2000.com

Y la recibirá sin compromiso alguno por su parte.

VISITE NUESTRO WEB
www.gestion2000.com

Elvira Vázquez

Empresarios, por favor

 **GESTIÓN 2000**

© Ediciones Gestion 2000, SA
Barcelona, 1999
Diseño cubierta: ASÍ Disseny Visual/Manuel Couto
ISBN: 84-8088-338-3
Dep. legal: B-3775-1999
Primera edición: marzo 1999
Impreso en España - Printed in Spain
Impreso por Talleres Gráficos Vigor

A Eva y Christian

Índice

Prólogo

Hace unos días, en TV-2, hicieron un reportaje sobre un fenómeno atmosférico muy frecuente pero técnicamente poco comprendido: me refiero al rayo. Fue un reportaje impresionante no sólo por las espectaculares escenas que mostraron, sino por los datos que dieron y las incógnitas que surgieron en el transcurso del programa. Bien, alguien me preguntará: ¿qué tiene que ver un rayo con este libro o su autora?

Cuando me puse a pensar en Elvira Vázquez para escribir este prólogo, recordé el programa de TV-2 y la vi como un rayo. Sí, un rayo con todo lo que es y significa. Veo a una persona muy compleja en su sencillez, difícil de entender en lo que realmente es y muy asequible en su trato y disposición de ayudar y de poner en marcha cualquier cosa que valga la pena. Si te fijas en su conducta externa, verás a una persona muy activa, casi siempre con un «sí» en sus labios. Y como está implicada en tantas cosas, creerás que es una persona activista y sin discreción, que lo único que le interesa es aparecer y aparentar en todo. Si reflexionas sobre lo que puede haber detrás de esa actividad desbordante, empezarás a vislumbrar algo muy diferente —digo mal, no; **verás** a una persona poco común. Elvira es una persona que desborda.

Primero, para mí el rayo es energía; y Elvira es energía. Un repaso a su vida bastará para percatarse de que Elvira es una persona llena de energía. En la Introducción, Adolf Vilanova nos describe rasgos de la vida de Elvira que nos convencerán de su vitalidad. Desde que hacía de «courier» llevando a los clientes los trajes confeccionados por su padre, hasta que en una rueda de prensa sobre la microempresa de hace sólo unos pocos días aparece siempre la Elvira vital y comprometida, llena de ideas nuevas y proyectos.

Dije ideas y proyectos; y lo dije intencionadamente, porque Elvira tiene conceptos en abundancia y sabe traducirlos en proyectos. No se queda en el mundo de las ideas posibles a medio o largo plazo. No, Elvira pasa del concepto al proyecto como un rayo. He aquí otra semejanza entre el rayo y Elvira. Es una persona rápida. Rapidez sí; pero en dos sentidos.

Es rápida en concebir ideas nuevas y traducirlas en proyectos; pero rápida también en matar ideas sin futuro y en deshacerse de proyectos que no prometen. Tiene un ojo clínico que muchos médicos envidiarían. Como el rayo que da luz, aunque sea momentánea, en la oscuridad de la noche, Elvira otea el entorno y se da cuenta de la validez de una idea o de un proyecto. Pero no creamos que Elvira es como César, quien al dar su informe sobre la guerra de las Galias dijo «veni, vidi, vinci» (llegué, vi y vencí). No; Elvira es rápida como el rayo, pero como el rayo también zigzaguea. Antes de aceptar o dejar un proyecto, le ha dado muchas vueltas, y en muchos casos ha sufrido mucho por las dudas que le asaltaban sobre su viabilidad o por el dolor de tener que abandonar algo en lo que ella había puesto su corazón.

Bien, podría seguir relacionando a Elvira con el rayo. Hay dos cosas que son de Elvira y no las reconozco en el rayo: me refiero a su lealtad y a su benevolencia. Elvira es leal. Es leal a sus amigos, es leal a sus ideas, es leal a sus proyectos, y por encima de todo, es leal a las personas que le han ayudado a traducir una idea en un proyecto y a realizarlo.

Elvira es benevolente. No destruye, como el rayo. Su benevolencia se manifiesta a menudo con un apoyo continuado a personas y proyectos que le inspiran confianza. Ahora bien, la benevolencia no es rápida. Como la lluvia, necesita tiempo para calar, empapar y sazonar. Elvira como mujer sabe esperar. Así como es de rápida en darse cuenta de una situación, Elvira sabe que los resultados duraderos son fruto de la paciencia y la tolerancia. Da tiempo al tiempo. Sabe esperar, porque se necesita tiempo para engendrar nueva vida. Siempre da una oportunidad si algo vale la pena y, por las razones que sean, no puede nacer y crecer como debiera. Ante la oposición de personas poderosas y con dobles intenciones, Elvira sabe esperar y a veces ceder, que es una manera de esperar poco frecuente, pero no por ello inútil y a menudo inesperadamente benevolente.

El libro que ponemos en sus manos, estimado lector, es el fruto de una espera inspirada por la benevolencia de compartir con el gran público a través de Ediciones 2000 el fruto de una vida llena de energía y de compromiso. Una frase de su libro la define a ella perfectamente. Hablando del empresario y de si se hace o nace, dice:

> «Será necesario trabajar duro, ser constante y perseverante, riguroso y flexible a la vez, fuerte para resistir los contratiempos, adelantarse sin perder el sentido de realidad, decidir con visión para poder anticiparse al futuro imprevisible, en cambio constante.»

Nada más apropiado como prueba de que en su libro ha vertido su alma. No es un libro erudito. Toca temas muy interesantes y de mucha actualidad, pero no hay citas de autores prestigiosos ni un marco de referencia teórico que presente una visión nueva del carácter empresarial. Por eso se lee con facilidad y, como pretende la autora, su mensaje llega con sencillez y contundencia. Es un escrito que interpela.

Para mí el mensaje de Elvira es básicamente testimonial. No es tan amplio ni tan profundo para ser considerado como académico, ni es autobiográfico. Pero es un testimonio de una persona que ha trabajado, que ha creado, que ha sabido ceder cuando su conciencia se lo dictaba, y siempre ha sido fiel a su vocación de «empresaria».

No me es fácil comentar las aportaciones que el libro hace a la creciente literatura sobre el espíritu empresarial. El valor más significativo, en mi opinión, es el enfoque eminentemente práctico del tema dentro de un marco técnicamente riguroso. Como he indicado, Elvira no se extiende en definir conceptos ni relacionarlos entre sí por medio de teorías más o menos amplias y coherentes. Las da por supuestas; y los expertos en el tema las descubrirán casi en cada capítulo. La intención de la autora es dar un mensaje valiente que motive a los jóvenes con un mínimo de espíritu empresarial a lanzarse sin miedos y a aprovechar las oportunidades que la sociedad moderna les brinda. Las páginas que siguen me han recordado un título que me atrajo enormemente. El título es «Even the eagles need a push» («Incluso las águilas necesitan un empujón») de David McNally. No sé si ha sido traducido al castellano, pero el título es ya suficiente para plantearte un reto. El libro de Elvira da este «empujón» para encender dentro de los jóvenes que titubean el fuego de una acción bien dirigida. Ya desde el principio, al hablar de la vocación de ser empresario, el reto aparece con toda claridad. Parece como si Elvira nos dijera que todos tenemos la vocación de ser empresarios, pero pocos se atreven a serlo.

> «Tener la idea de crear una empresa está al alcance de cualquiera, pero los que lo consiguen son bastantes menos, ya que algunos se quedan por el camino en el largo recorrido del desarrollo. Cosa distinta y menos frecuente todavía será lograr el éxito en la dimensión socialmente reconocida y valorada...».

Y no nos deja sólo con el reto. Todo el libro va dirigido a animar y a engendrar confianza. El capítulo 6 y el anexo, que describen casos prácticos, son especialmente apropiados para despertar la vocación de ser empresario y encaminarlo de una manera positiva. Muy útil en este sentido son el punto 4.1 y 4.2 sobre el primer empleo y el primer proyecto (Capítulo 4) antes de entrar en la capacidad de aprender (punto 4.3).

En su pasión de querer ser práctica, Elvira se ciñe a lo que ella considera como más apremiante en la vida del empresario, sin desdeñar otras áreas donde el espíritu empresarial y las cualidades directivas son igualmente necesarias. Fija su atención en la empresa familiar y muy especialmente en las mujeres. Desde la perspectiva de la microempresa, que es la posición de la que arranca toda su inspiración, Elvira focaliza su mensaje en lo que puede ser más útil para el mundo empresarial y descubre dos valores reales pero poco apreciados: la empresa familiar y la mujer como empresaria.

Tal vez por eso, el lector hará bien en ponerse en una actitud de diálogo. Al menos esta actitud es la que me ayudó al releer el libro antes de escribir mi prólogo. A menudo me encontraba yo dialogando y discutiendo con Elvira. El diálogo fluyó con facilidad leyendo el capítulo sobre la vocación del empresario. Me pareció muy acertado que se propusiera el tema como una pregunta: ¿El empresario nace o se hace? Tal vez lo que interpela e invita al diálogo es la frase «También cabe plantearse que el empresario se hace "un poco cada día"...» La frase invita a hablar con Elvira para que nos exponga en qué consiste este «poco». ¿Es un crecimiento gradual? ¿Es un proceso de adquisición lenta? ¿Es una evolución pausada junto con una revolución que sacude? ¿Qué crisis ocurren en el transcurso de este proceso? ¿Pueden transformarse los «profesionales vocacionales» en empresarios?

Donde el diálogo adquirió un tono de debate y discusión fue cuando empecé a leer el capítulo sobre la mujer, la «gran ignorada» en la empresa familiar (2.2, capítulo 2). No me gustó que cualificara a la mujer de la empresa familiar como «ignorada». Noté un deje feminista que me puso en un estado de alarma. En mi pasión por ser preciso, mi discusión empezó y luego terminó con la palabra «ignorada». En mi opinión, la mujer no es ignorada ni arrinconada en la empresa familiar, sino «menospreciada» en el sentido etimológico de ser apreciada menos de lo que de hecho se merece. Luego, leyendo las diversas clases de empresas familiares y la posición de las mujeres en ellas, entendí lo que quería decir. Por eso dije que el debate empezó con la palabra «ignorada» y terminó con ella misma.

Otras veces el debate se mantiene a través de todo el epígrafe. Por ejemplo, el debate lo mantuve a través del 1.4 del capítulo 4: «El estímulo de ser». Para mí, el estímulo de ser era una llamada a entrar en el tema de autenticidad de la persona como fuente de energía y creatividad. En cambio me encontré con un «ser» muy pragmático: las renuncias que debe hacer el empresario en su fidelidad a la empresa de su creación. El debate surgió y creo que aún continúa dentro de mí. Aún ahora me desconcierta la conclusión del capítulo:

> «Tenemos, por tanto, que reconocer que el papel que juega el poder en la trayectoria de estos empresarios es fundamental, y que los demás aspectos tienen una importancia relativa y subordinada al objetivo principal que los motiva».

El diálogo da lugar a una sintonía casi total cuando se habla de la microempresa, del papel de las universidades o de la responsabilidad de los gobiernos (capítulo 5). Elvira nos invita a dejar de lado el estereotipo de empresa como una empresa grande, multinacional, con una facturación astronómica, y aceptar la realidad que «el nuevo siglo XXI va a ser el que permita que la microempresa tenga el reconocimiento que merece» porque la «base de su principal argumento es sólida y las cifras así lo acreditan».

El epígrafe sobre los gobiernos (5.4) es, en mi opinión, el que merecería una ampliación notable, precisamente porque toca un tema poco debatido, y en el libro de Elvira sólo se apunta. Me refiero a la observación de que emprender es un «verbo de escaso uso en la Administración pública», añadiendo:

> «...que más bien acostumbre a mantener situaciones, personas y estructuras que necesariamente precisan una transformación tanto en las formas como en los contenidos, que tienen que estar en concor-

dancia con las nuevas necesidades de aquéllos a los que tiene que prestar servicios y que, además, están pagando para ellos».

Finalmente, las observaciones sobre la universidad (5.3) y su distancia de la realidad son ya más comunes y pueden fácilmente decaer en estereotipos. Sin embargo, el párrafo que más me inquietó fue sobre la razón de que haya «tan pocas personas que se atreven a emprender». En la misma línea, el epígrafe termina con una referencia que hace pensar. Hablando del papel de las universidades acaba el capítulo con esta frase:

> «De la misma forma que el empresario se hace "cada día", aprender a ser empresario no es algo que se pueda dejar para después de la carrera».

El tema de la transformación progresiva del empresario desde la familia, pasando por la educación hasta la experiencia cotidiana, es el tema del libro que más me ha interpelado.

Quiero terminar haciendo hincapié en lo que he intentado acentuar como la aportación más valiosa del libro que nos ofrece Elvira Vázquez: es un libro testimonial que, sin ser autobiográfico, es profundamente personal. Es el fruto de una vida rica por la variedad de experiencias que lo avalan y la autenticidad con que se han vivido. Para mí es un libro que invita a reflexionar sobre la oportunidad de emprender, a dialogar con su autora y a discutirle algunos de sus puntos de vista. De maneras diversas es un libro que interpela.

Jaume Filella
Profesor de ESADE

Introducción

Introducir al lector en una obra de la que uno no es autor, siempre te produce una rara sensación, como si fueras a enseñar la casa de un buen amigo que te cede su puesto con todo el cariño del mundo. Así me siento yo en estos momentos ante este trabajo serio y reflexivo de Elvira Vázquez, el cual ve la luz en unos momentos de su madurez profesional y humana de gran calado. Sólo me tranquiliza su comprensión y afecto hacia mí y el haber podido compartir en más de una ocasión sus propias experiencias y reflexiones. Porque, digan lo que digan los escritores, toda obra tiene más o menos un contenido biográfico, ¿o quizá la parentalidad cuando se vive intensamente no forma parte de lo más profundo de uno mismo? El primer ejemplo que se te ocurre es tu propia vida, especialmente, como en este caso, si existen una tendencia y capacidad manifiestas de introspección.

Por eso quiero dejar constancia ante el amable lector de que tiene en sus manos una parte muy importante y significativa de la vida de una gran empresaria. Como profesor de Política de Empresa puedo dar fe de ello. Con su contenido podrían darse muchas horas de clase en cualquier escuela de negocios de prestigio internacional por lo novedoso de según qué planteamientos y lo auténtico de su discurrir, vital y apasionado, pero a la vez riguroso, como debe ser la docencia eficaz. Cuando sólo somos profesores y todavía no hemos alcanzado la madurez de maestros, caminos como el propuesto por Elvira

Vázquez nos acercan más al objetivo del maestrazgo. Gracias Elvira por haber querido compartir una vez más con nosotros tu vida, rica en ideas sugerentes que nos abren nuevos horizontes a todos los que vivimos por y para las personas del mundo de las organizaciones.

El diseño estructural del libro, en seis capítulos y un anexo, curiosamente lo percibo como una serie de etapas ontológicas, coincidentes en el tiempo con el ciclo vital y profesional de la autora. Efectivamente, Elvira Vázquez es iniciada en el espíritu de servicio por su padre, un sastre que en aquellos tiempos gustaba de hacer llegar sus productos (sus trajes) hasta la casa de sus clientes por medio de un «courier» muy especial: su propia hija. Porque todo empresario responde a la llamada vocación con más o menos espíritu de servicio, pero, en cualquier caso, sin este elemento del servicio no hay espíritu emprendedor, porque la parte genética es sólo un soporte a la componente de iniciativa y coraje en llevar hacia delante la propia obra.

El verdadero emprendedor gusta más de hacer que de hacer hacer, entre otras razones porque se considera el mejor en hacerlo. Y no busca la comodidad ni le asustan las dificultades, justo al revés: las utiliza como desafío para superarse y superarlas. Lo difícil y lo arriesgado tiene un atractivo especial que moviliza su adrenalina hacia la acción. El académico formula hipótesis de trabajo, elabora teorías, el «debe ser». El emprendedor se deja llevar por su intuición, muchas veces incluso de forma inconsciente, y de manera natural lo quiere ver realizado, poderlo tocar, y no descansa hasta que lo consigue.

Y aquí aparece otro ingrediente vital que distingue a todo empresario verdadero del soñador: el sentido de realidad. Por eso muchas personas nunca serán empresarias, porque se quedan en el reino de los sueños. El sentido de practicidad marca la diferencia. Radica en el cómo llevarlo a la práctica. Elvira Vázquez lo expresa diciendo que «el empresario se hace cada día». De ahí que las escuelas de negocios no bastan por sí solas para crear emprendedores: hacen falta los centros de puesta en práctica de los negocios (parques, viveros, etc.).

Toda idea precisa, como la semilla, de una tierra donde arraigarse, y esta tierra es la oportunidad. No es fácil saber identificarlas, porque no se encuentran en el mundo de la mente, sino en el de la vida cotidiana. Más allá del sueño está la visión, que transformará la idea en proyecto. Y no hay proyecto sin equipo, que es otro punto neurálgico y decisivo. El emprendedor tiene que ser el líder, lo que supone unos seguidores, un equipo de personas auto-motivadas, con unos objetivos y lideradas por alguien que ejerza la fuerza de «atractor». Alguien que sepa cómo canalizar la energía de los demás por el cauce que ha abierto su propia energía, su idea de negocio, su trabajo de pionero explorador.

El solitario quizá sea un gran personaje, pero no sabe ir más allá. Con él nace y muere su obra. Saberse trascender a sí mismo es la asignatura pendiente de muchos empresarios familiares, que tienen un magnífico presente pero efímero y con fecha de caducidad porque no han sabido crear un espacio para los demás o no supieron darles la oportunidad para que aportaran lo mejor de sí mismos. No creyeron en las capacidades de sus seguidores ni en la innovación necesaria que precisa toda obra para desarrollarse a través del tiempo en un mercado cada día más agresivo, más cambiante, que exige verdaderos grupos de personas que, como decía Theilhard de Chardin, «no hay fuerza en el universo que los pueda detener si saben dirigir su pensamiento hacia un mismo objetivo, aportando cada uno su vitalidad y energía al trabajo conjunto».

No cabe duda de que vivimos en una «aldea global», donde el cambio de nuevos valores junto a la incorporación de los tradicionales (debidamente innovados) conjugan una sociedad distinta, atractiva y desafiante. Frente a una mayor competitividad y en medio de una competencia cada día más acentuada, surge la cooperación con una vitalidad insultante y atrevida, que la convierte en la llave del futuro. El saber estar y unir esfuerzos con las del mismo sector deja atrás las tradicionales rivalidades para dar paso a una nueva concepción de los juegos del ganar/ganar para todos, creando un mayor valor añadido para el usuario final. El sector del automóvil lo descubrió hace unos años. Los fabricantes y distribuidores de grandes y medianas superficies también saben de qué estamos hablando.

Tradicionalmente, el mundo de la empresa sigue siendo un feudo masculino del que se ha procurado alejar a la figura femenina. Sólo unas cuantas actividades profesionales la vienen aceptando como natural e incluso mejor valorada que los mismos hombres. Pero de ahí a que se les permita o simplemente tolere que cojan el timón, va todo un abismo de incomprensión y desconocimiento de su auténtico poder ejecutivo. Desde la militancia feminista se pretende (en vano) salir de unos espacios reservados en las áreas del marketing y los Recursos Humanos. ¿Cuándo veremos a mujeres dirigiendo grandes compañías o liderando proyectos de un cierto calado? ¿Cuándo podremos revolucionar la alta dirección y no sufriremos más por la clase femenina directiva? ¿Hasta cuándo nos dejaremos de asombrar porque lo puedan hacer mejor que los hombres sin tener que recurrir a los tópicos de su mayor sensibilidad y sus mejores intuiciones? ¿Tanto cuesta superar los estereotipos que durante siglos las han situado en el marco familiar de los trabajos domésticos o con funciones subordinadas a los mandos masculinos?

Por último aparece en el cambio de siglo un fenómeno que asombra a todos los macroeconomistas: la microempresa. Como si se tratara de una «rara avis» surge este colectivo, en medio de la globalización de mercados y la búsqueda constante de un mayor tamaño, en aras de una mejor competitividad. Mas allá de «lo pequeño es hermoso», los analistas y expertos tienen que enfrentarse a un paradigma contradictorio y revulsivo: lo minúsculo es más eficaz. Las redes son más duraderas por ser más flexibles y más adecuadas a las exigencias del mercado consumidor. El futuro se construye con un sueño de niños: la economía difusa. El rey caprichoso y pequeño tirano, el usuario, se siente más complacido y a gusto con respuestas totalmente individualizadas, hechas a medida, en medio de las grandes economías de escala y los imperios multinacionales de las producciones en serie. Sobra producción y falta atención personalizada. Las grandes compañías destruyen empleo cuando las micro lo crean de nuevo. El pez gordo no se come al chico, sino el rápido al lento.

Finalmente, una serie de ejemplos reales sirve como botón de muestra de este amplio espectro de mayor competitividad. El aporte diferencial a la riqueza nace de la diversidad, y la pluralidad se impone por encima de la uniformidad. Lo contradictorio es lo coherente, y el protagonismo se devuelve a la persona que, desde su espíritu creativo e innovador, sabe encontrar la respuesta más adecuada a las necesidades del cliente-usuario-consumidor (cuc). La sociedad de la información simultánea y mundial se expresa a través de redes y se alimenta de ellas. Todo el universo está formado por pequeñas células que se recrean constantemente. Lo perenne no es lo inmortal, sino la continua recreación. El devenir o fluir constante es la razón del porqué no puedes bañarte dos veces en el mismo río.

La sensación que expresaba tener al principio de mi intervención se amplía y cobra mayor fuerza al releer lo escrito: verdaderamente utilicé un espacio que no me era propio para vaciar algunas de mis ideas y sentimientos personales. Pido disculpas al lector y a la autora del libro por mi torpeza, que sólo puede justificarse por aquel aforismo bíblico que afirma que «de la abundancia del corazón habla la boca».

Si Dios, como afirmaba el apóstol, sabe escribir rectamente aún con letras torcidas, dejaré en paz mis sensaciones y rogaré para que todo sirva en bien de aquellos que por su bondad están llamados a transformar la sociedad actual en un mundo más humano y más justo. Ojalá que la comunicación o que las pequeñas aportaciones de cada uno contribuyan a que cada cual asuma el protagonismo que le corresponde en provecho de los demás.

Quiero finalmente augurar para esta obra una gran utilidad práctica y reflexiva en beneficio del generoso lector, que se anime a leerla con la misma voluntad y entrega con que ha sido concebida y redactada por Elvira Vázquez y los demás que hemos participado en ella. Nos sentiremos satisfechos y ampliamente recompensados si sabemos que para algunos esta publicación ha contribuido de una manera sencilla a mejorar su calidad como empresario y como persona.

Adolf Vilanova Parés
Profesor del departamento de Empresa Familiar de ESADE

I

La vocación de empresario

1.1. ¿El empresario nace o se hace?

El eterno dilema sigue vigente, y nos ayuda en nuestro interés de averiguar si los empresarios nacen o se hacen, o no se da una circunstancia sin la otra, es decir, se nace empresario pero tiene que hacerse para realmente llegar a serlo. También cabe plantearse que el empresario se hace «un poco cada día», es decir, se va haciendo a lo largo de toda su vida empresarial, y la forma en que inicie su primera actividad definirá bastante el desarrollo futuro de la organización.

Es básico reconocer que la empresa tiene vida propia y necesita alimentarse para poder crecer y desarrollarse, y su mejor alimento es la capacidad de saber crear desde el principio «un espacio para cada persona» del primero al último de los que forman la organización, que puede empezar por una persona (de la misma forma que la construcción de un edificio empieza con una primera piedra), y un largo camino se inicia con el primer paso. También la empresa necesita poner sus cimientos básicos; ése es el principal objetivo que una persona debería plantearse a la hora de llevar adelante un proyecto. Sin embargo, no es la forma en que suele actuarse, sino más bien todo lo contrario.

Es necesario insistir que, previo al desarrollo de cualquier plan empresarial, debería existir un «verdadero plan de contenidos y valores humanos» como parte principal de la Misión de la empresa, pero no como una mera declaración formal, sino como uno de los elementos esenciales de la organización; ello aportaría distintos perfiles de personas emprendedoras, que se podrían sentir atraídas si se deja de ver la empresa «exclusivamente» como un ámbito de generación de beneficios (que necesariamente tiene que serlo para poder crecer y desarrollarse).

Pero no únicamente existe el «valor» como «beneficio económico»; existen otros valores que, por el hecho de ser «intangibles», resultan más difíciles de obtener y son los únicos capaces de marcar la diferencia entre las empresas, que no son otros que los individuales e intransferibles de cada ser humano. No precisamos enumerarlos para saber que entre los mismos está la ética, el respeto y el compromiso, que, conjuntamente con las capacidades y conocimientos de las personas, forman el verdadero valor que distingue a las empresas, muy por encima de su cifra de facturación o participación de mercado.

Ese es el reto más íntimo al que se tiene que enfrentar la persona que toma la decisión de emprender la maravillosa aventura que representa poner en marcha una iniciativa profesional/empresarial, la cual le va a permitir desarrollar lo mejor (y en algunos casos también lo peor) de sus capacidades para llevar adelante sus «sueños» y poder compartir ilusiones y también ambiciones. Será necesario trabajar duro, ser constante y perseverante, riguroso y flexible a la vez, fuerte para resistir los contratiempos, adelantarse sin perder el sentido de realidad, decidir con visión para poder anticiparse al futuro imprevisible, en cambio constante. Moderar los riesgos será un factor fijo en la tarea de gestionar un proyecto, y también una oportunidad única para poner en práctica la creatividad e imaginación imprescindibles para tener un espacio en el mercado, que tiene en la innovación la forma más eficaz de diferenciación.

Puede decirse que la vocación crece con el ejercicio de una determinada actividad, y que llega a ser «vocacional» a través de la práctica habitual de una profesión u oficio, sin dejar de aceptar que se puede «sentir una vocación» de forma innata o inducida por ejemplos pasados o presentes, de la misma forma que se conocen supuestos de personas que son capaces de dedicarse simultáneamente a ejercer una profesión y dedicarse a una actividad vocacional. El hecho de alternar diferentes actividades también tiene bastante que ver con la capacidad de la persona, y no son pocos los casos en los que la alternancia en diferentes ámbitos de actuación permite a «ciertas personas» un desarrollo superior de sus capacidades, que no se daría si se dedicara a una sola actividad. ¿Acaso el que emprende una iniciativa a solas y es capaz de llegar a crear un proyecto viable y lo desarrolla no es un emprendedor vocacional? Si tenemos en cuenta la definición que María Moliner nos da de vocación: «inclinación, nacida de lo íntimo de la naturaleza de una persona, hacia determinada actividad o género de vida», cabe pensar que se nace con la capacidad vocacional; la dificultad radica en descubrir cuál es la vocación para la que se está más dotado. Es sencillo de decir pero bastante más complejo de realizar, lo cual no puede sorprendernos demasiado, ya que en ello se basa la gran diferencia de casi todas las cosas: decir algo está al alcance de casi todos, hacerlo es cosa de muy pocos.

Tener la idea de crear una empresa está al alcance de cualquiera, pero los que lo consiguen son bastantes menos, ya que algunos se quedan por el camino en el largo recorrido del desarrollo. Cosa distinta y menos frecuente todavía será lograr el éxito en la dimensión socialmente reconocida y valorada, que tiene su mejor expresión en lo económico y social, dejando al margen la profesionalidad y el propio valor social que genera.

Los profesionales vocacionales

Bueno será volver los ojos a todos esos profesionales que realizan una labor callada y anónima, que sirve para dar equilibrio a nuestra

vida diaria en comunidad. Ellos merecen el reconocimiento y respeto por ser capaces de dedicar sus vidas al ejercicio de profesiones en
las que, salvo algunas excepciones, pasan desapercibidos, y no por
ello están exentos de riesgos y críticas de la propia sociedad, que de
forma incompresible no tiene la capacidad de valorar el esfuerzo
de unos «profesionales vocacionales» que tratan de vivir de forma
discreta y, porqué no decirlo, austera, el ejercicio de su actividad
profesional en armonía con sus principios y convicciones éticas y
humanas, sin necesidad de buscar «contraprestaciones paralelas»
enfrentadas a los principios de equidad que, con toda seguridad, rigen
la actuación de la mayoría de los «profesionales vocacionales» verdaderos.

La vocación impuesta

¿Se puede encontrar la vocación a través de la imposición? Parece
que es posible (y además frecuente) que una vocación impuesta se
asuma como algo realmente sentido inconscientemente y descubierto
gracias a la imposición. La tradición familiar ejerce una influencia de la
que no resulta fácil escapar; muy pocos son los que lo logran, y menos
todavía los que se arrepienten de su decisión de buscar su propio
camino, del que será improbable se aparten para regresar al núcleo
familiar. Sin embargo, son numerosos los que por seguir el consejo de
la familia se incorporan a la organización o profesión de la familia. Ese
es el caso de bastantes profesionales (principalmente médicos y abo-
gados) que dan continuidad al negocio familiar como lo más natural y
deseado.

En las empresas sucede que es más factible incorporar a los familiares (hijos preferentemente) con mucha más facilidad; si el puesto no
existe, se crea para el hijo/a en cuestión. No suelen tenerse los mismos criterios (siempre existen excepciones que confirman la regla)
para incorporar a los hijos o parientes de según qué grado o a una

persona que no sea de la familia para cubrir un puesto en la empresa: primer gran error, que por su frecuencia a lo largo de tantos años, se ve que no ha disminuido, sino todo lo contrario. En estos momentos, complejos para encontrar un puesto de trabajo para cualquier persona que accede a su primer empleo, es mayor la incorporación de familiares (sobre todo hijos) a las organizaciones familiares, algo lógico y aceptable siempre que se tenga en cuenta la capacitación del «familiar» a la hora de darle una responsabilidad y se valoren de forma objetiva las consecuencias que, sin duda alguna, se van a derivar en forma de disfunciones para la organización.

El tema no es sencillo, y precisa análisis y rigor para saber aplicar aquellos criterios que permitan que la persona en cuestión pueda desarrollar sus capacidades y encontrar, como un miembro más de la organización, el «espacio» que le permita integrarse con naturalidad y en función de sus posibilidades. Lo contrario será un gran inconveniente para el propio interesado, que vivirá una realidad distorsionada y estará siempre fuera de juego respecto al resto del equipo, que no reconocerá ni valorará su aportación por considerarla arbitraria. En cambio, si su crecimiento es proporcional a su valía y desde el puesto que le corresponda por sus conocimientos y capacidades, el equipo le tendrá el respeto y la consideración a las que él mismo se haga merecedor.

1.2. El riesgo como valor

Cada empresario es un mundo, al igual que lo es cada familia y cada hogar. Por dicho motivo cada empresa es también única y diferente a las otras, y no se trata de distinguir entre mejores o peores, sino sencillamente distintas.

Muchos son, no obstante, los rasgos característicos que definen a los verdaderos empresarios de los que no lo son. Pero uno se destaca de forma clara y definitiva a la hora de pasar balance sobre el resto de cualidades necesarias para poder llevar adelante una empresa; no es otro que el llamado «amor al riesgo», entendiendo el riesgo como valor necesario y de equilibrio en su aplicación y desarrollo.

¿Qué es sino la responsabilidad de crear un proyecto con los recursos escasos y arriesgando, en muchos casos, el patrimonio familiar?

¿Qué otra valoración tiene hacerse cargo de un equipo con el que llevar adelante un proyecto?

¿Qué compensación puede existir para renunciar en muchos casos a la vida familiar a cambio de trabajo y más trabajo?

¿Qué fuerza hace posible asumir «riesgos» que no pueden explicarse de forma racional y, en algunos casos, por encima de las propias posibilidades?

¿Por qué personas que en su vida privada suelen ser temerosos y poco decididos, son en su vida profesional atrevidos y hasta temerarios en algunos casos?

¿Es acaso el riesgo el motor generador de la energía imprescindible para mantener la constancia y el coraje, tan necesarios en la lucha empresarial?

Sea lo que sea, está presente en la mayoría de las decisiones importantes que, necesariamente, se tienen que tomar en la empresa cada día. ¿Qué es, si no, tomar la decisión de crear un nuevo producto, en el que se empieza a invertir en investigación hasta llegar a su lanzamiento al mercado?; ¿cómo cabe entender la incorporación de un cargo de responsabilidad sin tener la certeza de que sea la persona más adecuada hasta que la práctica lo demuestre? El «riesgo» de su incapacidad puede ser muy costoso humana y económicamente hablando para la empresa. Introducirse en un nuevo mercado tiene una cuota de riesgo alta, y sin embargo es algo que las empresas tienen que realizar todos los días y no siempre con el rigor mínimo necesario para desarrollarlo.

El riesgo ante el consumidor

El siglo XXI viene marcado por el gran protagonismo y poder del consumidor, en una sociedad volcada al consumo y formando parte de un mercado global en el que la oferta es muy superior a la demanda. En un mercado donde los recursos son cada vez más escasos, generando una competencia muy agresiva, el beneficiado será el consumidor final de productos y servicios, pero a su vez tendrá que protegerse de la avalancha de propuestas, tanto en la calle como en el trabajo y muy especialmente en casa, y se verá obligado a ejercer su derecho de ciudadano a elegir quién le llama a su casa (marketing directo) para ofrecerle productos y servicios y qué información quiere recibir (éste último ya está en funcionamiento a través de las Listas Robinson, en las que cualquiera puede inscribirse).

Los riesgos son cada vez mayores para el empresario, sobre todos los derivados de las acciones de los consumidores, que tienen en los medios de comunicación sus mejores y más eficaces aliados. Esta ventaja se debe, sobre todo, a la inmediatez de los medios de comunicación, al frente de los cuales la televisión hace las delicias de todos los que están dispuestos a consumir los llamados «productos basura». No parece lejano pensar que alguna mente preclara pueda crear un programa en el que se pueda «debatir» acerca de productos y servicios con el «consiguiente riesgo de manipulación posible» (al hablar de productos y servicios nos estamos refiriendo a las marcas líderes, que son las que cuentan para los medios de comunicación y, sobre todo, para los consumidores y usuarios).

Las marcas

¿Existe mayor riesgo para una empresa que estar expuesto a la crítica pública? Sorprende comprobar cómo ante cualquier queja que se realiza directamente a una empresa, la respuesta inmediata a modo de satisfacción es entregar un obsequio o productos para paliar el efecto negativo del incidente, de modo que existe por parte de algunos consumidores o usuarios la picaresca de quejarse por cualquier motivo para tratar de beneficiarse. Este caso es una excepción, ya que lo frecuente es dejar de utilizar aquellos productos o servicios.

Servicios Públicos

Es frecuente el comentario sobre este tipo de servicios, y más concretamente en lo referido a transportes, electricidad, teléfono y principalmente sanidad. La costumbre y algunas mejoras han hecho que la situación se haya asimilado y aceptado como lo más natural, y no recuerdo que se hayan organizado manifestaciones de queja sobre los mismos, y como en este caso los sindicatos no actúan la situación sigue estable.

Por ejemplo, ¿qué riesgo asumen los gestores públicos de la televisión? El único castigo, tal como sucede con la televisión privada, es no conectarse, no usarla, con la diferencia de que la pública la pagamos y la privada no.

1.3. El motor de la creatividad

El empresario emprendedor suele ser creativo y generalmente aplica dicha capacidad a lo largo de toda su vida, y no sólo a producir productos o servicios, sino también en su forma de actuar, en sus decisiones y en su singular manera de gestionar el negocio, a cuya organización dotará de una dinámica especial que calará en la cultura de la empresa. El empresario creativo estará dispuesto a la innovación permanente y transmitirá ilusión y motivación al resto del equipo.

¿Cómo reconocer a las personas creativas?

Contrariamente a lo que pueda parecer, la creatividad es una actividad que bastantes personas pueden practicar, y son muchas las formas de desarrollarla e infinitas las aplicaciones que la misma puede tener. Pero lo que realmente ha sucedido en las organizaciones en el tema de la creatividad es que no ha existido la opción de canalizar las capacidades creativas de los componentes de las empresas. Los motivos son de sobras conocidos: en unos casos desconocimiento de ese potencial, en otros desconfianza en las posibilidades del propio personal, y en bastantes supuestos pensar erróneamente que sólo los considerados «creativos» pueden crear; ¡qué disparate!

Así es como algunas agencias de publicidad y otro tipo de empresas han conseguido monopolizar el tema de la creatividad en todas sus manifiestaciones, desde el primer impreso pasando por cada uno de los productos, y entrando de pleno en todo lo que esté relacionado con la publicidad y comunicación de una marca, producto o servicio.

La creatividad ha pasado a depender de unos profesionales que, en el mejor de los casos, tienen amplios conocimientos de su profesión, experiencia, y una capacidad creativa que se le supone para poder interpretar los objetivos y necesidades de la empresa y convertirlos en ese deseo para el consumidor final. Es lógico que sean los expertos en cada actividad los que la desarrollen e implementen. Sin embargo, lo que ya no es tan normal (ni la empresa puede permitirse ese lujo) es no tener en cuenta las opiniones de aquellos que realmente conocen la empresa, los que la viven y la sienten y que, en definitiva, son los que la hacen.

La creatividad como expresión humana

Cerrar las posibilidades a la creatividad es abandonar la única fuente de riqueza individual inagotable que tiene el ser humano en todo aquello que piensa y realiza. La actividad creativa está presente en la vida diaria y en cada una de las cosas que se realizan, y es precisamente en el ámbito de la actividad profesional en el que mejor pueden expresarse y canalizarse las posibilidades individuales. Perder ese valor equivale a parar un motor que puede generar un gran rendimiento, ya que las habilidades creativas se pueden aprender.

Espacios de creatividad, una necesidad

Es necesario que las empresas sepan cómo potenciar la creatividad en los equipos para lograr la implicación en actividades relacionadas con la misma. Cada grupo debería tener la oportunidad de poder introducirse en temas que les implique y, sobre todo, en temas que tengan relación con la creatividad en cualquiera de sus manifestaciones.

La creatividad no tiene que ser algo abstracto o impreciso; también puede ser definido, concreto, que puede ser tratado de otra forma o visto desde otro ángulo distinto al que normalmente se suele valorar. Esa es también una forma de plantear la creatividad mucho más dinámica y cotidiana de lo que algunos piensan, pero es principalmente una manera de motivar a las personas en su trabajo diario como expresión de sus habilidades y conocimientos. Un equipo motivado en el plano de la creatividad puede sorprendernos por sus resultados, que serán a la vez un ejemplo a imitar por otras personas quizá menos preparadas teóricamente pero capaces intuitivamente de crear conceptos innovadores y de aplicación práctica.

El beneficio que representa para una empresa la generación de este tipo de capital intangible puede convertirse en un valor muy considerable para la organización, que podrá transmitirse a través de la cultura corporativa como un elemento de integración que será valorado por los que componen la organización, que se sentirán más comprendidos y principalmente mejor considerados en su faceta humana.

La creatividad como diferencia competitiva

En un mundo como el actual, de consumo instantáneo de productos y servicios reales y virtuales, es imprescindible aplicar la creatividad como elemento diferenciador a todo lo que participe o, mejor dicho, competir en el mercado global único, tan cercano en todos sus contenidos como puede estarlo el mercado local. Tal situación pone a la empresa frente a la realidad con la que tendrá que ser capaz de competir, y será fundamental saber estructurar las ventajas que permitan a la empresa seguir compitiendo.

Así lo han entendido las empresas que están marcando la pauta en temas relacionados con la creación de «diferencias» cualitativas dirigidas en los dos sentidos: en primer lugar, tratar de situarse en los lineales de los puntos de venta a través de los distribuidores correspondientes, y paralelamente tratar de posicionarse en la mente del consumidor o usuario del producto o servicio en cuestión.

Como sea que el distribuidor es paso obligado para poder tener una presencia ante el consumidor final, es preceptivo dedicar esfuerzo y presupuesto a conseguir el objetivo prioritario de tener una representatividad considerable en los espacios cada vez más reducidos y codicia-dos con los que cuenta la distribución, en los que las marcas están posicionadas en función de su cuota de mercado, importancia y protagonismo. No obstante, hay algunos nichos de mercado en los que el espacio de tiempo que queda hasta llegar al 2000 será el que clarificará y pondrá a cada cual en el lugar que le corresponde. Todos sin excepción, fabricantes y distribuidores, tienen que mirar en la misma dirección, que no es otra que la que apunta al consumidor final. Van a tener que dedicarle mucho más tiempo del que tenían por costumbre para complacerle, y algo importante: tienen que cambiar las formas y por supuesto los contenidos si quieren lograr una relación de confianza y de fidelidad.

La creatividad como valor intangible

El primer valor de la creatividad es precisamente su versatilidad para poder desarrollar y descubrir aquellos valores ocultos o menos visibles (intangibles) que existen en las organizaciones, y que tienen su nacimiento en las propias personas y en sus capacidades y habilidades creativas. Pensar de forma distinta precisa creatividad; ser capaz de generar nuevas opciones está al alcance de quienes pueden interpretar los conceptos de manera diferente, y llegar a concretar nuevos planteamientos factibles de aplicación y de éxito en su implementación. Los nuevos retos que plantea el mercado global y también el local (en el que jamás se estará en solitario) tienen como consecuencia inmediata la necesidad de una transformación constante, que permita la flexibilidad que exige el nuevo entorno al que se está sometido sin exclusión alguna.

No aceptar que la nueva situación es totalmente opuesta a la anterior es cerrar los ojos a una realidad que ya no tiene retorno. La oferta es lo que se impone; sobra de todo; la producción ha dejado de ser un problema (la transformación tecnológica ha resuelto esa situación); los intercambios comerciales han encontrado en el mercado global un punto de encuentro de oferta permanente las 24 horas del día, que hace innecesario tener que asistir a ferias y demás eventos en los que se negociaba; la información circula a una velocidad a través de Internet y todos sus derivados que permite a cualquier ejecutivo tomar decisiones al momento, con mucha más información que hace pocos años y, lo más importante, a un mejor precio. Entonces, ¿qué nos queda por hacer en un mercado saturado de oferta, asequible logísticamente hablando, con precios muy competitivos y atonía en la demanda? La respuesta es simple y clara: ¡queda mucho por hacer! Lo que ha cambiado es la necesidad de hacer las cosas de manera diferente, con nuevas referencias, para otro tipo de consumidor mucho más exigente y preparado que está en condiciones de elegir y no está dispuesto a que piensen qué es lo que le conviene, todo ello a partir de unos planteamientos básicos de necesidades, tanto en los productos como en los servicios. Aquel que sea capaz de entender este planteamiento será el elegido «temporalmente».

El nuevo consumidor no está dispuesto a dar su fidelidad a cambio de cuatro regalos o promociones puntuales; quiere contenidos que pueda utilizar, que le sirvan, «útiles» para el funcionamiento diario. El resto, a partir de lo básico y cotidiano, lo que podemos considerar «necesidades», estará reservado a las organizaciones capaces de crear valores añadidos y verdaderas diferencias significativas. Ese es el campo específico para la creatividad en todas sus manifestaciones. Lo básico es lo necesario, que tiene necesariamente que ser «bueno y barato», y me atrevería a decir que, tal como está la situación, debería tener «surtido». Sin embargo, lo efímero, lo superfluo y todo aquello que forma parte de lo «innecesario y caprichoso», precisará grandes dosis de ingenio y creatividad para lograr «conquistar» a los potenciales usuarios o consumidores, que se han convertido en verdaderos profesionales cuando se trata de elegir entre una infinidad de ofertas entre las cuales resulta difícil valorar las diferencias, las cuales acostumbran a ser poco perceptibles en la mayoría de las ocasiones.

1.4. El estímulo de «ser»

Al analizar las causas del éxito de los empresarios emprendedores, aquellos que se han hecho a sí mismos (los «self-made men & women»), sobresale de manera extraordinaria su «voluntad de ser». Han querido ser empresarios por encima de muchas otras cosas, y han dedicado sus esfuerzos a conseguirlo, renunciando a otros aspectos de su vida privada, entre los que podemos destacar su faceta de padres como una de las principales de la que han estado ausentes.

Han desatendido también las relaciones personales y de amistad con todo lo que ello representa a nivel afectivo, ya que el centro del interés de este perfil de empresarios ha estado totalmente «focaliza-do» en el funcionamiento de su negocio y todo lo relacionado con el mismo: la creación de productos, la maquinaria, los proveedores, la competencia, los clientes y un largo etcétera, siempre en función de la actividad empresarial, que les ha permitido realizarse en el plano profe-sional y en su objetivo principal de tener una empresa cada vez más rentable. Algunos más románticos han tenido la oportunidad de disfru-tar de otras facetas menos materiales y tangibles más de acuerdo con valores sociales, como la creación de puestos de trabajos y otras ac-tividades más humanitarias, eso sí, siempre relacionadas con la empresa.

Actitud individualista

Otro aspecto a destacar en la forma de actuar de estos empresarios ha sido su individualismo exacerbado, que han aplicado a casi todas las facetas de su trabajo, el cual se inicia con las personas que eligen como colaboradores. Buscan por encima de cualquier otra característica la dedicación absoluta, la fidelidad, y muy especialmente la sumisión a todos los planteamientos, lo que se dio por llamar en otra época «el Ángel sí señor». Se da la circunstancia de que muchas de esas perso-nas acostumbradas a trabajar de esa determinada forma no son capa-ces posteriormente de adaptarse a otros planteamientos, ni aceptan de buen grado depender de otras personas con criterios profesionales diferentes, para lo que se precisa un grado de independencia mayor y capacitación para asumir responsabilidades individualmente. Siguen fija-dos en su referencia de identificación con el poder único, que les pro-porciona el trato directo con el que ellos consideran el «amo o jefe único», al que voluntariamente se someten en aras de esa relación per-sonal que les proporciona una confianza absoluta de estar en primera línea y sentirse privilegiados por tal reconocimiento.

Esta situación la podemos encontrar principalmente en actividades relacionadas con la producción, motivada por su peculiar manera de funcionar, en contacto constante y directo en la toma de decisiones, sobre todo en otros momentos de nuestra historia reciente de la tecnología mucho más artesanal y primaria. Actualmente, la transformación tecnológica ha cambiado el panorama en los centros de producción, tanto a nivel técnico como de capacitación de los profesionales, y se ha cerrado una etapa a todos los niveles de la actividad productiva, que cuenta con los medios más sofisticados y las personas más cualificadas para cada una de las funciones que componen los procesos de producción. Esta nueva etapa ha dado paso a otras necesidades más centradas en la estrategia comercial, la creación de nuevos productos, la apertura de otros mercados y la necesidad de crear un equipo competitivo y capacitado para poder adaptarse a los nuevos planteamientos empresariales.

Abandonar el timón

La posibilidad de adaptarse a la nueva situación no ha sido sencilla para este empresario que estamos analizando, y han sido numerosos los que han tomado la decisión de abandonar el timón de la empresa antes que tener que adaptarse al cambio profundo que se ha producido en los últimos 10 años.

Entre las diferentes opciones, la venta de la empresa ha sido la fórmula que ha tenido más aceptación, y la mayoritariamente elegida por aquellos empresarios que no han estado en disposición de pasar a gestionar su empresa bajo otras directrices, o que simplemente han tenido la capacidad de aceptar su limitación para afrontar la nueva situación. Otros, en cambio, han tratado de adaptarse a las nuevas circunstancias, y para ello se han planteado la organización de forma diferente, incorporando nuevos perfiles de profesionales que asuman el reto de transformar la empresa para poder seguir en el mercado.

El factor familiar, decisivo

Si nos referimos a la empresa familiar, será el tema de la sucesión el que pasará a ocupar un lugar preferente en las prioridades de este empresario, tan entregado y sacrificado a un proyecto del que ha hecho toda su vida y centro único de estímulo y motivación. Sin embargo, no será fácil que asuma que tiene que ceder el puesto a los sucesores, y buscará todas las formas posibles de dilatar el momento de ceder el protagonismo. Pero todavía resultará más complejo que acepte buscar otro tipo de solución que pase por incorporar un profesional al máximo puesto de responsabilidad de la organización, que sirva para armonizar la sucesión y a la vez tratar de incorporar a personas capaces de equilibrar una especial forma de gestionar por otra mucho más profesional y necesaria para el futuro desarrollo de la empresa.

En cualquier caso, la decisión tardará en producirse, y por todos los medios se intentarán buscar soluciones intermedias que llevarán a la empresa a situaciones complejas en su funcionamiento. El aspecto que generará más conflicto será todo lo relacionado con el crecimiento y desarrollo de la organización, y es lógico que sea así; los criterios de las diferentes personas implicadas en la gestión en un plano de más o menos igualdad chocará frontalmente, y será motivo de paralización o ralentización en aquellos temas clave que precisan decisión y visión para poderse resolver con prontitud, tal como exigen las condiciones actuales del mercado.

La importancia del poder

¿Qué estímulo mantiene a este tipo de personas a lo largo de toda su vida en una posición tan rígida con ellos mismos y tan vacía de contenidos familiares y personales? ¿No es un precio muy alto el que pagan? Aún hoy podemos contemplar bastantes casos como los que hemos comentado, y la pregunta parece que sólo nos permite una respuesta: no encuentran su espacio fuera del ámbito de la empresa que les permita «SER» ellos mismos en el mismo plano de protagonismo. Se sienten fuera de lugar, no tienen hábitos fuera de la empresa, no han planificado sus actividades lúdicas o culturales o simplemente no les estimulan las «pequeñas cosas» de la vida relacionadas con los gustos más íntimos y personales de cada ser humano, a las que hay que dedicar tiempo y afición, ya que su «tiempo libre» suelen dedicarlo también a temas relacionados con su actividad, principal y única. Son lo que hoy llamamos «adictos» al trabajo.

Se suele hablar de la erótica del poder como la sensación más placentera que una persona puede sentir. Se comenta que el poder emborracha y hace que el ser más equilibrado pierda de vista su objetividad y se convierte en una persona déspota e insoportable. La sociedad actual nos brinda cada día la oportunidad de observar cómo el poderoso humilla al que no está en su mismo nivel de poder, y cada vez es más frecuente pensar en términos de poder para valorar la importancia de un tema determinado. Así es frecuente oír hablar de poder financiero, político, sentimental, familiar, empresarial, funcional, eclesiástico, mediático, relacional, etc.

¿Qué importancia tiene el poder para el empresario emprendedor al que nos estamos refiriendo? Creemos que bastante, y precisamente es el ejercicio de ese poder de forma permanente el que le permite sentirse libre y satisfecho consigo mismo, y como consecuencia se convierte en una fuente de satisfacción, ya que será difícil que alguna persona se atreva a contradecir sus criterios u opiniones en el ámbito de la empresa. Ese es el motivo por el cual estas personas siguen actuando de la misma forma cuando están fuera de la empresa. Lo que sucede es que los resultados son diferentes y los interlocutores no están en la misma disposición que aquellas personas que dependen de ellos profesionalmente, lo que les lleva a sentirse incomprendidos e insatisfechos por no producir el mismo efecto.

Podemos decir, y quienes reconozcan a personas de estas características estarán de acuerdo con nosostros, que la empresa se convierte en un «refugio», y que fuera de la misma son personas inadaptadas y tristes por el papel que les corresponde asumir lejos de su «espacio empresarial», creado a medida de sus deseos más básicos. Tenemos, por tanto, que reconocer que el papel que juega el poder en la trayectoria de estos empresarios es fundamental, y que los demás aspectos tienen una importancia relativa y subordinada al objetivo principal que los motiva y alienta.

2

La empresa familiar

2.1. La importancia de la E.F.

La importancia de la empresa familiar en la economía española es tema de análisis constante por aquellos que dedican sus esfuerzos a tratar de dotar a dichas organizaciones de herramientas y mecanismos para su desarrollo.

La E.F. no es, ni mucho menos, un fenómeno nuevo ni una moda pasajera que se hayan inventado los gurús del management actual; ha sido siempre la gran ignorada por parte de los gobiernos, universidades, escuelas de negocios y, sobre todo, de la opinión pública. Sólo algunos estudiosos del tema (o mejor dicho «devotos» de la misma) han sido capaces de perseverar en el estudio y análisis de este tipo de empresas, tan peculiares y complejas pero, a la vez, tan apasionantes y creativas en su singular forma de funcionamiento.

En la E.F. se dan circunstancias que difícilmente se crean en otro tipo de organizaciones no familiares, que las hacen «diferentes» desde su nacimiento y durante su desarrollo, y éste será el factor que, en determinados momentos, podrá «desequilibrar» la organización o el valor que generará la fuerza necesaria para el crecimiento de la misma.

El reconocimiento del que gozan en estos momentos las EE.FF. es la consecuencia lógica de unos resultados que ponen en evidencia que son las pequeñas y medianas empresas las mayores generadoras del tan buscado y necesario empleo. En cambio, las grandes empresas destruyeron tantos empleos en los últimos años como habían creado. El crecimiento también ha venido de la mano de este tipo de empresas, entre las cuales las familiares son un porcentaje elevado que, conjuntamente con las grandes empresas familiares, forman lo que podríamos llamar un «cuerpo especial» que por su dinamismo ha pasado a tener un papel clave en la economía mundial.

En el caso de España la situación es bastante similar al resto de países. La mejor prueba de que es así la encontramos en la especial dedicación por parte de las principales escuelas de negocios (IESE, ESADE, IE, ESEEV), y la creación en 1990 del IEF (Instituto de Empresa Familiar), nacido con la vocación de ser el interlocutor de las principales empresas familiares ante la Administración Pública, o dicho de otra manera, formar un lobby o poder fáctico de las familias más representativas de los diferentes sectores de la economía española. Dicho organismo ha puesto el acento en el tema fiscal y en el Fórum Familiar como ámbito de integración de los sucesores de dichas empresas, todo ello acompañado de conferencias, programas de formación, publicaciones y estudios, y con presencia en todas aquellas actividades relacionadas con la E.F.

En estos momentos, el IEF goza de gran prestigio en los círculos empresariales, y los medios de comunicación prestan especial atención a sus actividades. Sin embargo, se tiene que reconocer que su dedicación está muy centrada en un número reducido de empresas, que son las más representativas de cada sector.

Pero el largo camino que han recorrido las empresas familiares hasta llegar a conseguir el respeto del que hoy son objeto no lo han hecho en solitario. Algunos profesionales han dedicado parte de su vida a tratar de poner de manifiesto los valores de este tipo de empresas.

Devotos de la Empresa Familiar

No podemos pasar de puntillas sin mencionar y recordar aquí a los profesionales que, desde hace muchos años, dedican lo mejor de sí mismos a trabajar en las empresas familiares. Lo han hecho (y siguen en ello) en unas circunstancias en las que las EE.FF. no tenían ni la fama ni el protagonismo del que ahora gozan. El mérito está en haberse anticipado y valorar la importancia que las empresas familiares acabarían teniendo.

ADOLF VILANOVA PARES

Es uno de los principales especialistas en empresa familiar del país. Ha desarrollado su dedicación a la E.F. en un buen número de sectores, y en una primera etapa de su carrera profesional estuvo en funciones ejecutivas, que le han permitido posteriormente conocer más objetivamente las características de éste tipo de organizaciones en los aspectos estratégicos y comerciales. Esto le ha permitido entender de manera integral el elemento diferencial de las empresas familiares en sus facetas más externas, pero profundamente vinculados a los aspectos internos y organizacionales de la empresa.

Hablar con Adolf Vilanova es necesariamente entrar en el terreno de la E.F.: es un «devoto» que además ejerce y, sobre todo, disfruta con su trabajo, tanto en el campo docente (desde su responsabilidad en el departamento de la Empresa Familiar de ESADE) como en su faceta de consultor especializado, y también como conferenciante o ponente en temas que tengan relación con la empresa en general y con las familiares en particular. Sus opiniones son respetadas y, porqué no decirlo, también imitadas y fusiladas en no pocas ocasiones. Sin embargo, él no hace cuestión de estas «pequeñeces» y, guiado por su generosidad, siempre está dispuesto a colaborar con cualquiera que se lo solicite; eso es algo que sabemos muy bien aquellas personas que tenemos el privilegio de contarnos entre sus amigos.

Colaborar con él es siempre apasionante por el entusiasmo que pone y también por su especial forma de analizar las situaciones, en las que necesariamente profundiza. No se conforma con la solución sencilla; debido a su incesante curiosidad y a su afán por descubrir elementos válidos, necesita llegar al fondo de las cosas para poder dotar a las empresas con las que trabaja de las herramientas y criterios eficaces para su funcionamiento y desarrollo. Esta peculiar forma de hacer, unida a su gran experiencia y conocimientos, hacen que Adolf Vilanova Parés sea considerado un punto de referencia en todo lo relacionado con la Empresa Familiar, de la que ya hemos comentado se reconoce devoto y fan (de ello tienen constancia sus alumnos de ESADE y las empresas con las que colabora).

Decirle a Adolf Vilanova que dedique un poco de su tiempo a escribir sus experiencias y reflexiones de madurez experta en el mejor momento de su carrera, ya que serían de gran valor y utilidad para aquellos que tienen la responsabilidad de dirigir las EE.FF.

MIGUEL A. GALLO

Es el titular de la Cátedra Empresa Familiar en el IESE (Instituto de Estudios Superiores de la Empresa), que fue creada en 1986.

Considerado uno de los principales especialistas internacionales en el tema de la empresa familiar, ha publicado un buen número de libros, en los que ha reflejado toda su experiencia y conocimientos sobre las EE.FF. de la misma forma que interviene en debates y foros. También ha publicado diferentes estudios, entre los que se encuentra «La empresa familiar entre las 1.000 mayores empresas de España». Como consecuencia de tan prolija creación, es necesario sumergirse en toda su obra para poder hablar de la misma con más criterio del que estoy en condiciones de expresar. Por tanto, remito a los interesados en profundizar en las teorías del Profesor Gallo a la extensa colección de libros que ha editado.

IEF (Instituto de Empresa Familiar)

La estrategia desarrollada por el IEF desde su creación ha logrado ser un punto de referencia, sobre todo para los organismos públicos, que han sabido entender el papel de representatividad y protagonismo que podía asumir el ente empresarial y lo han reconocido como interlocutor válido en todos aquellos aspectos y propuestas presentadas, que han girado principalmente alrededor de la problemática fiscal y más específicamente en el tema de la sucesión en las empresas y patrimonios familiares. Esto le ha proporcionado cierto protagonismo en los círculos empresariales y también entre los principales consultores, que han encontrado una fórmula para poder colaborar en algunos aspectos impensables hace unos años. Sin embargo, se tiene que reconocer que su dedicación está muy centrada en un número reducido de empresas, las más representativas de cada sector, tema que ha sido criticado por algunos empresarios que se han sentido excluidos y consideran al IEF un «club elitista» de la empresa familiar.

Elegir a Fernando Casado como cabeza visible de la organización en la función de director general ejecutivo ha representado un valor añadido por la trayectoria profesional del mismo. Su perfil y buen hacer han encajado perfectamente en el puesto, y han otorgado credibilidad científica al proyecto que, junto con su capacidad de gestión, han resultado definitivos para poder desarrollar una labor (no exenta de dificultades) en la aplicación de los criterios y objetivos necesarios para lograr estar en la posición actual de reconocimiento público e interés privado. Un ejemplo claro de cómo ha funcionado el responsable ejecutivo de la institución es sencillo de valorar en su relación con los medios de comunicación y su presencia pública en actos o actividades relacionadas con el Instituto, en los que siempre ha sabido estar en un segundo plano, asumiendo la responsabilidad pero no el protagonismo, que siempre ha cedido (como por otro lado corresponde) a los empresarios más representativos y a la vez fundadores de la organización. Queda mucho camino por recorrer y algunas asignaturas pendientes, que con seguridad se aprobarán. Sólo es cuestión de tiempo y sentido de realidad.

Abundando en el interés que la E.F. suscita, Joan Amat acaba de publicar un interesante trabajo titulado «La Continuidad de la Empresa Familiar», en el que destaca el interés que ha generado la E.F. así como las múltiples publicaciones que han ido apareciendo a nivel internacional, y más concretamente hace referencia a algunas instituciones y personas relacionadas profesionalmente con la E.F.

Convendría que la Administración Pública tomase nota de que las Empresas Familiares son muchas más de las que parecen, y que aquellos que por tamaño no pueden estar representados también son parte importante y necesaria del tejido empresarial del país, y necesitan que se les tenga en cuenta para poder seguir compitiendo en el mercado global, que no distingue tamaños y obliga a las empresas a realizar un esfuerzo adicional si pretenden mantenerse en el mismo.

2.2. La mujer, la gran ignorada en la E.F.

Sorprende comprobar cómo la mujer es la gran ignorada de la E.F., a pesar de que el papel que las mujeres han desarrollado ha podido ser decisivo en bastantes casos (o al menos su aportación ha resultado importante). En cualquier caso, no ha sido una más; existen muchos ejemplos que lo demuestran, y los que de una u otra forman llevan un cierto tiempo relacionándose con este tipo de empresas sí se han molestado (como sería lo correcto, por otro lado) en averiguar e investigar los orígenes de la empresa. Al hacerlo habrán podido comprobar cuál ha sido la aportación que las mismas han realizado, con escaso protagonismo que voluntariamente cedían, ya que esos eran los usos y costumbres sociales en ese momento concreto y a la mujer le correspondía el rol de permanecer en la sombra, con independencia de su participación en la empresa (que de cualquier forma se silenciaba, al menos externamente).

Internamente, no pocas personas que han trabajado en ese tipo de empresas conocen muy bien qué papel representaban «las ignoradas mujeres» y lo valiosos que eran su entrega y esfuerzo. Es de justicia reconocer que algunas de esas empresas no habrían podido sobrevivir y desarrollarse sin ellas, y les corresponde por lo menos el reconocimiento no solamente por su aportación en la creación y desarrollo de la empresa; se les tiene que valorar que hayan sabido retirarse y pasar a un segundo plano de más dedicación a la familia, desde donde han seguido ejerciendo su influencia y experiencia.

Pero, ¿qué ha sucedido con aquellas mujeres que han seguido en la empresa? Exactamente lo mismo que con las que han decidido pasar a la reserva: han sido ignoradas por completo, aunque puede que haya alguna excepción y como tal pase desapercibida. En lo referente a la sucesión ha imperado la misma tónica respecto a la mujer: no se la ha tenido en cuenta.

Formas en que la mujer ha participado

1. *Fundadora conjuntamente con el marido*, codo a codo, con o sin participación. En este supuesto, la mujer asume un papel secundario por propia voluntad y por entender que socialmente está mejor visto que sea el marido el que esté al frente de la empresa, apoyándole desde el anonimato y sin ningún tipo de protagonismo.

2. *Cuando la mujer es la verdadera empresaria y cede realmente el ejercicio de la actividad a un profesional* y el marido pasa a tener un papel más representativo o secundario. Sería el supuesto de la mujer capacitada que tiene como prioridad su vida de familia, pero que ejerce su influencia para tomar la decisión de poner al frente de la organización a una persona capaz de gestionar la empresa como ella considera que no puede gestionarla su compañero, logrando de esa forma un equilibrio tanto en la familia como en la organización. Esta será la mejor solución, que permitirá con el tiempo que los hijos puedan incorporarse de una forma adecuada y en función de las necesidades de la empresa, tanto en la formación como en el tiempo. Es, por tanto, una

solución de equilibrio presente y futuro para la empresa, que va a permitir su desarrollo y crecimiento. El resultado sería parecido al que se produciría si el fundador fuera un empresario con visión suficiente para admitir que la empresa necesita profesionalizarse si quiere seguir en el mercado. Así lo han entendido algunas de las empresas que hoy son verdaderas organizaciones, capaces de competir en el mercado global, y no creemos que sea necesario dar sus nombres para poder identificarlas.

3. *Hija de empresarios que ha incorporado al marido a la organización sin que haya tenido participación activa en la empresa.* Esta mujer ha ejercido su influencia sin tener los conocimientos y la experiencia necesarios, simplemente por el hecho de ser la cónyuge o la hija de los creadores. En este caso nos podemos encontrar con situaciones complejas y desestabilizadoras debido a la falta de visión y conocimientos reales, lo cual puede convertirse en un elemento negativo. Dependiendo de cómo se canalice ese poder fáctico, los efectos aparecerán de forma imprevisible.

4. *La madre que tratará de incidir en la organización a través de los hijos*, o que exigirá que éstos ocupen puestos para los que no están preparados por el mero hecho de que son hijos. Este caso es bastante frecuente y acostumbra a crear serias disfunciones en las organizaciones, las cuales tiene una difícil solución si los hijos no tienen la capacidad necesaria. En cualquier caso es una situación compleja, ya que, aún estando preparados, es imprescindible pasar por una etapa de aprendizaje que sería conveniente se realizara fuera de la empresa propia; el principal beneficiario de ello será el mismo hijo/hija, que podrá de esta forma adquirir unos conocimientos superiores estando lejos de la protección y tutela familiar.

5. *Hija que participa en la organización* y que se va haciendo con un puesto de más o menos responsabilidad en función de sus capacidades y de las «oportunidades» que se le puedan ir presentando. En este supuesto, dependerá de si al frente de la empresa

está un profesional o sigue el padre en el primer puesto ejecutivo. Para que pueda aspirar a ejercer el puesto de máxima responsabilidad, como mucho puede pertenecer al Consejo y ser responsable de un determinado departamento, que acostumbra a ser el de Marketing, Relaciones Externas o Comunicación (al menos así ha sido hasta ahora). Últimamente alguna empresa ha empezado a tomar decisiones en el sentido de poner al frente de la organización a la hija de uno de los propietarios, y precisamente ha sido en un sector muy tradicional familiarmente hablando, en el que no habrá resultado fácil precisamente por el número de familiares que existen; nos referimos naturalmente a Codorniu, y la profesional en cuestión es María del Mar Raventós, a la que han nombrado Presidenta Ejecutiva del grupo. El hecho, por insólito, ha tenido mucha repercusión en los medios de comunicación. Precisamente por tratarse de una empresa con peso familiar importante ha sorprendido que hayan asumido con tanta naturalidad que sea una hija la que asuma la dirección de la empresa. En los albores del siglo XXI a nadie puede sorprender que las mujeres ocupen primeros puestos ejecutivos en las organizaciones y que se valore con la misma naturalidad que cuando lo hace un hombre. Sólo la falta de capacitación puede evitar que una persona, hombre o mujer, pueda ocupar un determinado puesto.

2.3. Los profesionales en la empresa familiar

La decisión de incorporar un profesional a la empresa en el puesto de máximo responsable de la organización se ha demostrado como una de las fórmulas más eficaces para la empresa familiar en los últimos años. La mejor referencia la tenemos en el número de empresas que se han decantado por esta opción, y que no son otras que las más representativas en cada sector en cuanto a volumen de facturación se refiere, y en algunos supuestos coincidiendo además con el liderazgo destacado, tanto en innovación como en participación del mercado.

Sin embargo, a la hora de plantear el tema con objetividad y realismo, muchos serán los aspectos a tener en cuenta, principalmente todo lo relacionado con la futura sucesión, y el hecho de que existan hijos o familiares (incorporados o susceptibles de incorporación futura) será un factor que determinará tanto el perfil del candidato como la estrategia a desarrollar. No todos los profesionales están dispuestos a aceptar las «especiales condiciones» a las que es preciso adaptarse en una organización familiar, tanto si existe sucesión como si no.

La transitoriedad

El tipo de «tránsito» al que se somete un profesional es totalmente opuesto si existe relevo generacional. Una cosa es saber que queda un tiempo en el que se «comparte» la responsabilidad para dar tiempo a que la persona que está al frente se retire, y otra muy distinta ser el elemento que sirva de enlace entre el gestor saliente y el futuro responsable. Tanto puede ocurrir que el saliente no acabe de retirarse como que el que se tiene que incorporar no reúna las condiciones para adaptarse al puesto, por más familiar que sea. Este último aspecto será definitivo. Sin embargo, no siempre se suele considerar la importancia que el mismo tiene, y se pasa por alto o bien se busca una «salida engañosa», que únicamente generará consecuencias negativas para la organización. ¿O acaso los que por profesión estamos cerca de empresas familiares, no reconocemos la situación como habitual?

Por tanto, el profesional que se elija tendrá que entender y aceptar su «situación» de transitoriedad y su papel, en algunos casos de tutor de los posibles sucesores, que es posible que no lleguen jamás a ocupar el puesto de máxima responsabilidad y permanezcan en cualquier otra función cerca del «profesional», aceptando asumir un papel de adjunto por entender que es la mejor solución para la organización.

Ceder el poder

Pero la práctica demuestra que algunos empresarios tampoco son capaces de aceptar que su momento ha llegado y que resulta imprescindible «pasar los trastos» a aquellos que por capacidad, formación, y también por edad lo merecen. Sencillamente no entienden que es necesario dejar la actividad, pasar a ejercer un papel «distinto» en la faceta ejecutiva, y pasar a realizar una función en la que su experiencia sería muy valiosa para la organización como consejero y experto. No aceptarlo puede representar sacrificar el crecimiento de la empresa para poder seguir al frente, con la consiguiente limitación y frustración tanto para los posibles sucesores como para los profesionales que se encuentren al frente, que no podrán desarrollar su función en la forma prevista. Además, este perfil de empresarios ejercen una influencia muy grande en la organización, y resultará complejo que acepten de buen grado ver reducido su protagonismo por profesionales capaces, que precisan tener la delegación total para dirigir la empresa.

La triste consecuencia de este tipo de actuaciones es la incorporación de un perfil de profesional al que llamaremos «almohadilla» y que seguidamente analizaremos con detenimiento, pues se trata de una «especie» muy abundante en estos tiempos de transformación en los que estamos inmersos por las circunstancias que ha creado la globalidad del mercado y la consecuente necesidad de profesionalizar las estructuras de las organizaciones, que ya han pasado previamente por una importante adaptación tecnológica, que es paso obligado y primera fase para poder incorporarse a una situación de constante cambio, no sólo en el aspecto técnico, sino también y muy especialmente en lo que a la gestión de los recursos humanos se refiere. Ambos requisitos son indispensables para participar con garantías de éxito en el complejo mundo de los negocios, simplificado por la sofisticación de los medios técnicos a los que se tiene alcance de manera indiscriminada, motivo por el cual es más necesario que nunca dotar a las organizaciones de las personas más capacitadas y formadas, sin las cuales pocas actividades tendrá futuro.

Lo que acaba sucediendo es que no se llega a incorporar a aquellos profesionales que realmente se necesitan, a los que Adolf Vilanova, llama: «Profesional puente» y «Profesional ventana». El primero es el profesional especializado en gestión, con experiencia y buen currículum, al que la empresa contrata por un período de entre tres a seis años para asumir la Dirección General u otra función similar con el objetivo de cubrir el desfase generacional entre la generación en el poder y la generación siguiente. En el segundo supuesto estamos ante una figura netamente estratégica, que es recomendable utilizar en aquellas organizaciones familiares donde el «aire que se respira» está enrarecido y conviene que, sin grandes revuelos, se vayan aireando los rincones de la empresa.

Es evidente que algunas empresas familiares han hecho uso de la propuesta de Adolf Vilanova, incorporando verdaderos profesionales a la organización, lo cual ha permitido el desarrollo y crecimiento de la empresa y planificar la incorporación de los hijos o familiares de la forma más adecuada a los intereses de la empresa. La gran diferencia está precisamente en saber ceder el poder a tiempo y a la persona adecuada. Tal decisión debería tener el reconocimiento y valoración que merece, y que demuestra por encima de todo el grado de generosidad de la persona y su capacidad para aceptar asumir un «espacio» diferente y de menos protagonismo público, pero necesario e inevitable para la organización.

Tomar la decisión a tiempo es la verdadera grandeza; los resultados y el futuro de la empresa serán la compensación de haber sabido ceder en el momento preciso el timón de la organización. La contraprestación a tal actitud se verá reconocida por la propia estimación de estar a la altura de las circunstancias y el respeto de las personas y de toda la organización, que seguirá considerando la influencia de un líder que ha sido capaz de gestionar la empresa y que, en su mejor momento de lucidez, decide ceder el protagonismo del éxito por una función mucho más necesaria pero anónima, lo cual demuestra que se está por encima de vanidades y se piensa primero en la organización y en todos los que la componen. Sin lugar a dudas, podemos perfectamente identificar cuántos empresarios españoles han sido capaces de asumir tal decisión, y tristemente comprobaremos que son excepción, y que abundan los que no han tomado la decisión todavía y se las han ideado para seguir al frente de sus empresas y no dejar paso a los que están más capacitados o simplemente son necesarios para la organización.

El profesional almohadilla

La realidad nos demuestra que las empresas familiares con bastante frecuencia no tienen en cuenta el buen criterio de incorporar este tipo de profesionales que hemos comentado, y buscan personas de otras características profesionales en las que predomina más la comodidad de saber que no tienen una formación de nivel alto, que su currículum está más en función de algunas experiencias anteriores en facetas de alguna especialización exclusivamente y que no han estado al frente de ninguna organización, de forma que será un gran aliciente para este tipo de personas poder acceder a un puesto de máximo responsable. Esta oferta culmina todas sus aspiraciones, y estarán en condiciones de aceptar cualquier planteamiento que se les proponga y que sería impensable en el supuesto de un verdadero profesional de la gestión con capacitación y experiencia para el cargo.

La decisión de buscar una salida cómoda, sobre todo para la persona que no desea ver afectado su protagonismo y poder, le llevará a incorporar a una persona que acepte la componenda de figurar como director sin serlo. Esta situación sólo puede representar una gran carga para la organización en muchos aspectos, que se irán manifestando a medio y sobre todo a largo plazo, y cuya consecuencia inmediata será el cese de las personas más cualificas y la incorporación de otras menos cualificadas y más adaptables al perfil del profesional elegido, que protegerá su parcela y no permitirá que nadie le haga sombra. Esta estrategia de protegerse para evitar competencia debilitará la organización, que será cada día más el reflejo de los intereses particulares del profesional que se ha puesto al frente de la empresa, y que si de algo es consciente es de su falta de capacitación y formación. En algunos casos su «complejo» le llevará a protegerse de tal forma que hará la vida imposible a los que considere más capacitados que él para provocar su cese y seguir manteniendo su poder.

El asunto tiene repercusiones mayores en el caso de las E.F., en las que el «profesional almohadilla» no dudará en utilizar a los posibles sucesores y los hará suyos para poder jugar la carta «familiar». La primera consecuencia negativa para los hijos o familiares será perder la oportunidad de estar al lado de un verdadero profesional y poder aprender para cuando llegue su momento.

Otro de los efectos nocivos para la empresa será el rechazo de la propia organización, que tendrá que asistir resignada al espectáculo y manipulación evidente de la situación, ya que no siempre los hijos o familiares están capacitados para estar en puestos de responsabilidad. Sin embargo este tipo de «profesional almohadilla» no pondrá ningún obstáculo; bien al contrario, será un facilitador que procurará copar los puestos clave de la empresa por aquellos que sabe son sus mejores valedores, a los cuales utilizará para ir posicionándose estratégicamente en el lugar que considere le favorece más. Una de las características de este tipo de persona es precisamente su falta de valores y ética, pues piensa exclusivamente en sus intereses particulares como primera condición. De todo ello se resiente la organización en general y la cultura y valores de la empresa en particular, y como sea que las organizaciones son sabias y tienen sus propios recursos para protegerse, los efectos se manifestarán en muy diversas formas y crearán disfunciones significativas de difícil solución si no se acaba con el factor que las origina.

El supuesto es menos complejo si en la organización no hay familiares que esperen el relevo, ya que la gestión del «profesional almohadilla» estará muy controlada por el empresario, que podrá presumir de que ha profesionalizado la empresa, seguirá ejerciendo su influencia en la organización y tendrá la comodidad de poder descargar las tareas consideradas de segundo nivel. En esa situación, el empresario en cuestión podrá darle más o menos protagonismo a su libre albedrío, con la seguridad de que este tipo de profesional no estará nunca y en ningún caso a su nivel y será fácil de manejar, siempre estará a mano y no ocupará demasiado espacio, sobre todo en presencia del empresario. Otra cosa será su actuación en su ausencia, pero este aspecto no preocupa demasiado al responsable de la empresa, al que ya le viene bien que alguien en su ausencia controle la situación y le pase el parte posteriormente. Sin embargo, la organización pagará un precio muy alto por esta falta de visión de la persona que, teniendo la responsabilidad de elegir lo más adecuado para la organización, busca lo mejor para sus intereses particulares. Adoptar criterios de mediocridad sólo puede aportar resultados mediocres inmediatos, que se traducirán en decisiones irreversibles en un plazo más largo. Pero como dice la sabiduría popular, «cada cual recoge lo que ha sembrado».

3

Mujeres al timón

3.1. Emprendedoras por necesidad

Las empresas generalmente no han facilitado que la mujer ocupe puestos de responsabilidad en las mismas, y hasta hoy pocas han sido las que han tenido la oportunidad de estar al frente de una organización empresarial, con la salvedad de las que han contribuido con la familia a crearlas, en cuyo supuesto (bastante frecuente en Cataluña) su papel ha sido más bien secundario. Raramente han sido protagonistas, y a medida que la empresa se ha ido desarrollando su participación ha disminuido, no sabemos si voluntariamente, forzadas por las circunstancias familiares o bien, llevadas por su necesidad de influir, han decidido ejercer esa influencia desde el hogar (como ya hemos comentado en la segunda parte).

Sin embargo, los casos de mujeres que han sido conscientes de su capacidad para dirigir una empresa o un determinado proyecto, han tenido necesariamente que crear su propia empresa para hacerlo posible, y eso es lo que consideramos «emprendedora por necesidad». Así podemos comprobarlo en el infinito número de empresas creadas por ellas mismas, sin más ayuda que la familiar en el mejor de los casos.

Pero queremos centrar el interés del tema en demostrar que, más que un deseo, ha sido casi la única forma de poder incorporarse al mundo del trabajo, y todo ello no exento de conflictos familiares. La situación es mucho más complicada en el caso de las mujeres casadas, entre las que existen bastantes empresarias de las consideradas «superwoman», ya que son capaces de alternar sus responsabilidades familiares con las empresariales y en algunos casos, además, con una intensa vida social complementaria. Personalmente considero que no es posible desarrollar una empresa con una dedicación tan parcial y con tantos intereses en juego, y que la primera perjudicada es la mujer, que hace que todo a su alrededor gire entorno a su persona pero sin llegar a profundizar en nada, y de ello se resienten su familia, los empleados, los resultados de la empresa y, a nivel más humano, sus relaciones personales, que son lo que siempre se suele sacrificar, con la consiguiente renuncia a fomentar relaciones afectivas más espirituales e intelectuales para las que se precisa dedicación.

El timón del hogar, cosa de mujeres

El Instituto Nacional de Estadística (INE) nos da la cifra de cinco millones (5.000.000) de amas de casa (mejor llamarlas administradoras del hogar) sin contar aquellas mujeres que además trabajan fuera del hogar, que son un millón setecientas mil (1.700.000), es decir, que estamos hablando de seis millones setecientas mil mujeres (6.700.000) al frente del timón del hogar, al que podríamos añadir las novecientas mil empresarias (900.000), con lo que entonces tendríamos un total de siete millones seiscientas mil (7.600.000) amas de casa.

¿Qué significa realmente llevar el timón del hogar? Con toda seguridad es una gran responsabilidad, que precisa dedicación plena, dotes de organización y administración y una gran capacidad para gestionar los conflictos familiares, en los que se precisa habilidad y buen criterio para evitar tensiones. En este tipo de conflictos tiene mucho que ver la flexibilidad, que, acompañada de cierta tolerancia, habrá que administarla con cierto rigor para que no se desequilibre la organización y principalmente la interrelación de todos los miembros de la familia. Es fundamental que cada uno tenga su «espacio», su protagonismo y también sus responsabilidades y obligaciones, para que pueda integrarse y desarrollar su papel de la mejor forma y con el mayor entusiasmo a fin de lograr un «clima» de buena convivencia, que será la base para que una familia pueda vivir y desarrollarse como tal. Para que todo esto suceda es elemental que una persona asuma la responsabilidad, y dicho papel es el que generalmente ejerce el «ama de casa» y así ha sido siempre, sin que se considere por parte de la sociedad que esa es una labor muy importante y necesaria para el propio equilibrio de la familia primero y de la sociedad después.

También existen (pero son las menos) las «grandes amas de casa», rodeadas de servicio y de lujos que viven de forma muy distinta la responsabilidad de dirigir el hogar. No queremos quitarle mérito alguno a dichas mujeres; lo que sucede es que se trata de personas privilegiadas que seguramente desempeñarán muy bien su papel y tendrán además tiempo para ir al gimnasio, jugar al golf , hacer compras, atender las obligaciones sociales y además organizar cenas y otros eventos dignos del puesto.

Nuestro interés y atención está centrado en la mujer corriente, la típica mujer casada con hijos, con un sueldo medio (tirando a pequeño) que necesita agudizar el ingenio para poder llegar a final de mes y que además no tiene demasiada ayuda o ninguna en la casa. Normalmente esta mujer ha criado a sus hijos sin más ayuda que la de los familiares, y que ha tenido que renunciar a tener un trabajo o desarrollar una profesión por dedicarse a la familia y a la casa. En algunos casos (y no son pocos) ha tenido que compatibilizar su labor con el trabajo fuera del hogar para ayudar al marido y lograr así que los hijos puedan estudiar una carrera que les proporcione un mejor futuro. No estamos haciendo ciencia ficción: ésta es la norma en un tanto por ciento muy elevado de la realidad de nuestro país.

Este colectivo de mujeres todavía hoy no tienen posibilidad de afiliarse a un régimen especial de la seguridad social, como por otra parte sería lógico en función de la actividad que desarrollan, y que en muchos casos no existe alternativa posible. No considerar la situación es cerrar los ojos a la realidad de un grupo demasiado representativo como para ignorarlo en el aspecto más elemental y básico. Tampoco son tenidas en cuenta a la hora de reconocerles méritos dignos de admiración por parte de la sociedad en general, de forma que no se ha creado ningún tipo de premio o reconocimiento a la «mejor ama de casa, madre, etc.»

3.2. Gestionar el propio proyecto

Gestionar el propio proyecto no siempre es una elección pensada y querida. A menudo deciden las circunstancias y, por qué no decirlo, la necesidad de incorporarse a la vida laboral en un momento determinado. En este último supuesto la salida no puede ser otra que tratar de buscar la forma de realizar una actividad que permita obtener unos ingresos. Si realmente se tiene necesidad y constancia, las cosas se consiguen. Así han nacido bastantes proyectos que son una demostración de tesón y fortaleza, que acompañados de la intuición logran abrirse camino de las formas menos ortodoxas que en el mundo de los negocios pueden imaginarse. No dejará de sorprendernos cómo personas que aparentemente parecen poco dotadas para emprender iniciativas, son capaces de desarrollar pequeñas organizaciones que en algunos casos acaban siendo empresas rentables debido a la creatividad constante, que acaba convirtiéndose en el elemento básico de la actividad.

No sólo las mujeres

Existe una especie de leyenda respecto a la mujer empresaria y a su incorporación a la vida empresarial. Se dice (y se ha comentado en infinidad de foros) que la mujer no puede desarrollar un proyecto si no es la creadora del mismo. En parte es bastante cierto que, en determinadas circunstancias, la mujer tiene muchas dificultades para poder acceder a un puesto de trabajo, sobre todo si esa mujer está casada y además tiene hijos y una determinada edad, es decir, un perfil que desde luego no es el ideal para poder conseguir un determinado trabajo. Pero también es cierto que bastantes hombres se ven obligados a tomar la decisión de iniciar una actividad empresarial por parecidas circunstancias a las mencionadas.

La mujer como soporte del proyecto

A pocos sorprende que un hombre emprenda un negocio, y así ha sido desde siempre y ése es el origen de tanta empresa familiar que tenemos en nuestro país. Lo menos importante era quién estaba al lado del emprendedor o detrás, dándole apoyo y trabajando codo a codo desde el comienzo del mismo. Del desenlace de esos inicios y del papel que las mujeres han tenido una vez desarrollado el negocio viene la situación que posteriormente ha tenido lugar, que no es otra que aparecer como consorte y poco más. En Cataluña es muy frecuente (sobre todo en los negocios familiares) que las mujeres sean las que siguen llevando la batuta desde el hogar, y continúan ejerciendo un gran poder que mi estimado profesor y amigo Adolf Vilanova llama «poderes en la sombra». La influencia es muy grande, y cuanto menos se hace notar más decisiva es. En otros casos esta opción puede ser voluntaria, y la mujer elige el papel de no aparecer para, de esa forma, darle el protagonismo al esposo o hijo y actuar solapadamente, lo cual no deja de ser una forma de manipulación.

En cualquier caso, el papel de estas mujeres ha sido fundamental en un momento determinado de la vida de las empresas, y eso no conviene olvidarlo. Lo interesante sería que esa aportación se hiciera efectiva y se canalizara a través de los mecanismos que toda organización debe tener, y que en el caso de las organizaciones familiares tienen su manifestación en el Protocolo Familiar y en el Consejo de Familia entre otros.

La nueva generación de mujeres

Las nuevas generaciones de mujeres no quieren seguir en ese papel secundario y tampoco aceptan estar a la sombra, ya que se sienten capacitadas para llevar adelante su proyecto. Los cambios sociales, la transformación de la vida en familia (divorcio y separaciones incluidos), han hecho que surja una mujer que quiere asumir su papel protagonista en aquello que considera fundamental para su desarrollo personal, que no es otra cosa que su emancipación económica.

Muchos factores inciden en este nuevo planteamiento de la mujer activa, y uno de los principales son los hijos, que al llegar a determinada edad ya reclaman su independencia de hecho y también de derecho pero, sin embargo, siguen en casa, ya que es el mejor hotel y el más económico que se puede encontrar. Los adolescentes también han logrado su autonomía a base de demostrar a los padres que ésa es la forma en que se vive hoy día, y con una carga importante de pasotismo (que en algunos casos raya la indiferencia) «hacen su voluntad», y a los padres no les ha quedado más opción que aceptar el nuevo marco relacional en el que los hijos generalmente se plantean la convivencia en familia.

Esta nueva situación ha venido a demostrar la necesidad de que cada miembro de la familia pueda tener su «espacio y vida propia» a partir de una determinada edad, y la mujer como madre también reclama otra estructura de convivencia y un nuevo reparto de funciones en las obligaciones familiares. Así lo han entendido las nuevas generaciones, que ya comparten todo lo «compartible» en el compromiso de formar pareja y vida en común.

La mujer no quiere renunciar a ser, además de compañera y madre, profesional u empresaria, y por ese motivo su presencia en las Universidades es mayoritaria. Ha entendido que para poder acceder a puestos de responsabilidad se tiene que formar; esa es una de sus prioridades a una determinada edad en la que antes se dedicaban a soñar cómo sería su vida de familia. Ahora se tienen planteamientos bien diferentes y entre los mismos no cabe la renuncia al propio proyecto vital cómo ser humano.

3.3. Frenos al crecimiento

La «superwoman»

Los negocios gestionados por mujeres casadas que ejercen a la vez de esposa y madre suelen «padecer» debido a la personalidad tan determinante de las llamadas «superwoman». Lo que realmente sucede (y ellas mismas, al menos las inteligentes, lo reconocen) es que no están plenamente en ninguno de los papeles, y es frecuente que se lamenten de la falta de ayuda que reciben del resto de la familia, y convierten su vida en una agitación constante todas las horas del día. La improvisación es el mejor aliado de este perfil de mujeres empresarias, y su capacidad para salir de las situaciones es asombrosa. Tienen en su vitalidad la gran baza para actuar con prontitud y sin pereza alguna, con un gran derroche de energía y también sin profundizar demasiado en los temas para poder seguir avanzando, y tienen más la sensación que la certeza de que pasan de puntillas en la mayoría de las situaciones.

Todo es frenesí al lado de este tipo de personas, que tienen pocos momentos para detenerse a reflexionar profundamente de todo su entorno. Suelen tener una intuición muy desarrollada y su sentido práctico de las cosas es un factor importante en su funcionamiento. El sentido lo encuentran en saberse el «centro» de todo su entorno, y desde la mañana a la noche alternan las más diversas actividades para tratar de que todo se mantenga en su lugar. El teléfono móvil es esencial en la vida de estas mujeres, que se pasan el día pegadas a él como forma más elemental de controlar y estar en contacto, para poder dar «instrucciones» a todos aquellos con los que de una u otra manera se relacionan. De esa forma creen que están dominándolo todo. ¡Craso error¡: las dominadas son ellas, las esclavas son ellas, y la que se equivocan son ellas, que se pierden la oportunidad de poder dedicarle a cada cosa su tiempo, de disfrutar de las pequeñas cosas para las que se precisa bastante tiempo.

Capacidad para delegar

La gran asignatura pendiente de bastantes personas dotadas de capacidades extraordinarias para dirigir proyectos, tanto a nivel creativo como ejecutivo, es saber delegar en otros. Por diversos motivos no están en condiciones de poder trabajar en equipo, ya que en eso consiste fundamentalmente la delegación de funciones. Compartir un proyecto resulta complejo para este tipo de personas «self made», que han hecho el camino solos y no están habituados a escuchar opiniones de los profesionales que los rodean. No se trata únicamente de falta de reconocimiento; es también una forma de protegerse en sus planteamientos y conocimientos, generalmente prácticos, a los que obedecen como principios generales de su actitud y de los que no suelen desprenderse como factor clave de su forma de entender la actividad. Confían ciegamente en su «intuición», y se aferran a ella como la única forma de enfocar su negocio. Ceden muy poco terreno, y si lo hacen será de forma más condicional que real. Lo que se desprende de esta actitud no es otra cosa que la propia inseguridad o el temor a perder el protagonismo que tienen y, en algunos supuestos, la carencia de los conocimientos básicos indispensables para tener la capacidad de saber aprender de otros más capacitados, y estar en disposición de compartir e intercambiar para poder crecer personal y profesionalmente. Lo contrario es negarse la oportunidad y limitar el propio proyecto, que quedará reducido a una visión personal y sin futuro posible de desarrollo.

En cualquier caso, cada cual es libre de elegir la forma en que desea dirigir su empresa, y no estamos planteando que la forma que hemos descrito no sea perfectamente aceptable. Lo que realmente lamentamos es que, cuando se tiene el talento práctico, la iniciativa y el valor de asumir el compromiso de crear una organización, no se aproveche toda esa energía y capacidad poco usuales para llevar adelante un proyecto mucho más ambicioso en su desarrollo, para el que resulta necesario saber rodearse de otros talentos y tener la «generosidad» de darle a cada uno el protagonismo que le corresponde, y tratar de crear «espacios» para todos los que forman la organización. Es algo parecido al liderazgo compartido, que acabará siendo la mejor forma de unir a las personas capacitadas y especialmente dotadas para la creatividad y el trabajo en equipo. Es más un lamento que un reproche, es a la vez una forma de reconocimiento a todas esas mujeres y también hombres que han sido capaces de dedicar sus mejores años a poner en marcha una idea, en la que han perseverado y por la que han luchado con tesón y esfuerzo hasta lograr convertirla en realidad.

El perfil de los colaboradores

El tercer freno al crecimiento de los negocios creados por este tipo de personas es, sin ninguna duda, el perfil de los profesionales de los que se rodean. Por motivos ya comentados en lo referente a su propia formación, suelen seleccionar a personas de sus mismas características para evitar situaciones de incomodidad en su «particular forma de entender la gestión», que suele ser muy efectiva pero con las consiguientes limitaciones anteriormente mencionadas.

No será fácil convencer a estas profesionales de la ventaja que representa tener al lado personas mejor formadas y capacitadas para otras funciones necesarias para la organización y para el resto del personal. Elevar el nivel de capacitación es algo necesario y que con el tiempo se ha hecho imprescindible para poder ser competitivos en el mercado global, al que ya pertenecen todas las empresas, por pequeñas que sean.

No se trata de plantearse ir a otros mercados, sino que el mercado viene aquí, y no importa que la actividad esté en el pueblo más pequeño que nos podamos imaginar, pues existen fórmulas muy contrastadas y funcionales a través de las cuales es sencillo y factible estar presente en cualquier actividad y mercado. Ese es el objetivo que tienen las «franquicias» de cualquier tipo de negocio, y sólo tenemos que asomarnos a cualquier calle más o menos comercial y observaremos cómo ha cambiado el panorama comercial. Un ejemplo lo tenemos en las cafeterías, que de la mano de seis o siete franquiciadores se han posicionado con tal fuerza que cualquier cafetería que no se corresponda con el planteamiento de los que marcan la pauta nos parece obsoleta y poco atractivo a la hora de tomarnos un simple café. ¡Y qué decir de las tiendas de moda! Son otro de los ejemplos a considerar, y podríamos seguir con cantidad de propuestas que día a día van apareciendo y cambiando nuestro entorno a una velocidad pasmosa. Pero como muestra de lo que estamos planteando ya es suficiente. Es necesario prepararse; mejor dicho: si ya no se está en condiciones de crear ventajas competitivas será muy complejo poder mantenerse en un entorno que discrimina lo que no le proporciona satisfacción y le es útil, sin tener en cuenta otros valores que han dejado de ser considerados como necesarios en esta nueva sociedad de consumismo y virtualidad.

Incorporar otro perfil de colaboradores puede perfectamente ser clave a la hora de tomar determinadas decisiones, y convertirse en un elemento decisivo de otras alternativas posibles si se es capaz de compartir la visión del negocio. El momento actual es propicio debido a la cantidad de personas jóvenes que todavía no han accedido en muchos casos a su primer empleo, y están muy bien formados y dispuestos a asumir su compromiso profesional con entusiasmo. Esa es al menos la percepción que algunos tenemos en este momento tan crítico para el desarrollo de las empresas: no es aconsejable dejar que otros decidan por nosotros el futuro.

3.4. Las nuevas generaciones

La mujer tradicionalmente ha tenido que jugar un rol poco gratificante en lo que al trabajo por cuenta ajena se refiere; ha visto pasar oportunidades para las que se sabía preparada, y ha tenido que aceptar resignada que «otros menos capaces» ocupen puestos para los que no estaban preparados. Esa ha sido la realidad, y todavía hoy se mantiene con algunas excepciones y poco más. Sin embargo, todo parece indicar que el gran cambio va a llegar para la mujer con el nuevo siglo; es necesario que la propia mujer sea consciente de su papel en ese nuevo entorno social que se está vislumbrando, en el que la constancia y el esfuerzo van a ser las mejores armas que le permitan avanzar en su propósito de posicionarse y conseguir el reconocimiento para poder acceder a los espacios que, por capacidad, le corresponden en la sociedad y la empresa.

«El siglo XXI será el siglo de las mujeres. Ya nadie detiene el movimiento que ha constituido la mayor revolución del siglo que ahora acaba. La paridad entre el hombre y la mujer es una realidad en muchos ámbitos. Hay tantas universitarias como universitarios. Los jóvenes no buscan un título por distraerse o hacer algo, sino porque quieren usarlo. En estos momentos, la igualdad conseguida es bastante satisfactoria, pero no del todo. Aún hay obstáculos para una igualdad aceptable, de los cuales creo que deben destacarse dos:

1. *en la vida privada se sigue discriminando a la mujer y se mantiene una división de trabajo muy tradicional, con pocos cambios;*
2. *el acceso de la mujer a cargos y puestos de mayor responsabilidad avanza con excesiva lentitud.*

El problema está, pues, en el nivel más bajo y en el nivel más alto.»

Así de claro plantea Victoria Camps, en su libro «El siglo de las Mujeres», un tema de vigente actualidad en lo que hace referencia a los espacios que las mujeres tienen que ocupar en la sociedad. Pero el hecho de que podamos llamar a las dificultades por su nombre y apellidos nos indica que se han identificado las causas (o parte de las mismas) y que ya no hay retorno posible. Los hombres y las mujeres, los ciudadanos en su conjunto, es decir, la sociedad, no pueden cerrar los ojos a la evidencia sin tomar iniciativas de solidaridad, en algunos casos de ética, y en bastantes de justicia laboral y humana.

Sin embargo, será necesario modificar algunos conceptos en sus planteamientos, y es precisamente en esa tarea de clasificación y definición de los objetivos en la que será básico un uso inteligente de las circunstancias. Es preferible hacer menos pero hacerlo mejor, y, por encima de todo, luchar conjuntamente con el hombre. Son los propios hombres quienes mejor pueden colaborar a que se acabe con el desequilibrio que padecen las mujeres. Para poder avanzar en esa dirección, es preciso desarrollar foros en los que hombres y mujeres puedan trabajar en común en todos los aspectos necesarios para sensibilizar principalmente a la sociedad, y seguidamente a cada colectivo implícito en el proceso, hasta lograr la evolución imprescindible ya en estos momentos.

4

Las primeras oportunidades

4.1. El primer empleo

Algunas cosas no cambian por más tiempo que pase, y conseguir el primer empleo siempre ha sido tema complejo, sobre todo para quien está tratando de encontrarlo. Desde siempre, en la elección del primer empleo ha tenido mucho que ver la familia y el entorno de amigos más cercano, a los que se les suele pedir que echen una «manita» a los hijos o parientes cercanos.

Si tradicionalmente el padre era el que tenía esta misión de tratar de encontrar alguna actividad, en estos momentos de escasez de puestos de trabajo y dificultades de vacantes, con un número infinito de personas que acuden para acceder a puestos de nueva creación, se hace necesario que toda la familia y amigos se esfuercen y se dediquen a la tarea de encontrar «algo», y no importa si está relacionado con la carrera que se ha estudiado, ni tampoco que tenga que pasarse unos cuantos meses con un «contrato de prácticas» (por llamarlo de alguna forma), que es una manera muy sencilla de pagar salario de aprendiz a alguien a quien se le da una función de mucha más responsabilidad.

Tampoco vamos a negar que algunas personas son capaces o tienen la facilidad de encontrar un buen puesto una vez finalizados los estudios (o aún sin haberlos finalizado), y hasta puede que sin que los hayan iniciado. Sabemos que son los menos, y suele coincidir que se inician en la empresa familiar y llevan el mismo apellido que el propietario de la empresa o la sociedad. Fuera de estos supuestos y algunas excepciones, el resto de los mortales tienen que pasar por la odisea de presentarse a todas las pruebas que se puedan imaginar, y encontrar esa primera oportunidad suele convertirse en un verdadero esfuerzo de voluntad.

Joven y con experiencia: ¿hasta cuándo?

No deja de ser una incongruencia que se busquen personas jóvenes (recién licenciadas o graduadas) y que a la vez se pida experiencia en el puesto. Es algo que llama poderosamente la atención, y que sirve principalmente para que la gente tenga que inventarse empleos que generalmente no han tenido. Con el siglo XXI a la vuelta de la esquina, con las universidades llenas de personas que tienen más de una licenciatura y con seguridad dos o tres idiomas, preparados para trabajar con las nuevas tecnologías, con las que ya han desarrollado sus estudios, están en condiciones de poder adaptarse a una actividad, sin necesidad de tener que justificarse por no haber sido capaces de encontrar un empleo previo.

Siempre tiene que existir un primer empleo, y además es recomendable que así sea; se aprende sabiendo qué no se sabe, y son la capacidad, la habilidad y los conocimientos adquiridos lo que permite poder realizar una actividad o profesión a un nivel aceptable. Serán el tiempo, la dedicación y saber ver las oportunidades (que con seguridad se presentaran) las que van a permitir que se llegue a ser considerado experto o simplemente válido para la responsabilidad, ya que se trata principalmente de saber asumir el compromiso de la credibilidad de los resultados en la tarea o función.

Es preciso recordar a todos aquellos que ejercen de seleccionadores o simplemente tienen la potestad que les da el puesto que ocupan, que

hagan una reflexión sobre el tema del primer empleo, y que con sentido de realidad valoren lo injusto que resulta no aceptar que existe una
primera vez, como para todo en la vida, y que eso no tiene que ser
motivo de vergüenza; bien al contrario, debería ser un aliciente saber
que esa persona puede y tiene la posibilidad de descubrir sus capacidades sin más limitación que la necesidad que la empresa tenga y su propio estímulo y voluntad por desarrollarse. La adaptación y polivalencia
serán cada vez más necesarias en una sociedad tan tecnificada y avan-
zada en tantos campos, y sólo la creatividad que toda persona posee en
más o menos medida será el elemento variable y de valor para las
empresas. Por ello corresponde a las mismas dotar a las organizaciones
de los medios, no sólo técnicos, sino también humanos y en forma
de «ámbitos o espacios» que logren motivar y estimular la diferenciación en forma de creatividad, lo que no sólo es valioso para la organización y el individuo creador, sino que tiene un efecto reproductor en
el resto de personas que forman la empresa. Está más que demostrado que la creación de un ambiente de creatividad y motivación por las
ideas y aportaciones genera un clima generalizado de apertura y dinamismo muy beneficioso y necesario para toda la organización.

El derecho a equivocarse

La capacitación para realizar una determinada actividad la da el
tiempo, como tantas otras cosas en la vida. Evolucionar significa reconocer los errores y aprender de los mismos. El derecho a equivocarse
es una de las asignaturas pendientes en las organizaciones, y es un tema
al que es preciso reconocerle su importancia, que no juega sólo para
una parte (el que comete el error). Es necesario asumir que todos nos
equivocamos y que aceptarlo es el principio básico para convertirlo en
un valor positivo para toda la organización. Significa mucho más de lo
que a primera vista pueda parecer sin entrar en más valoración. Sobre
todo en la fase del inicio de una actividad, saber que podemos equivo-

carnos es un margen «imprescindible» para cualquier persona, que por muy bien formado y capacitado que pueda estar precisará un período de «aprendizaje» y de adaptación, tanto al puesto como a la propia dinámica de la empresa, y no digamos a las costumbres, cultura y forma de relacionarse con el resto de personas que forman la organización.

Integrarse en una organización y poder asumir una responsabilidad es una tarea compleja, y tanto es así que algunas personas no lo consiguen a lo largo de su vida laboral, con la consiguiente frustración y aislamiento en los «micro climas» que cada organización desarrolla. La incorporación a un puesto de trabajo bajo la presión de la falta de experiencia y la fecha de caducidad de un contrato son suficientes, y se debería valorar con un criterio pragmático pero también con un cierto margen para la adaptación que toda persona necesita.

Si no se acepta la realidad, ¿qué tipo de empresas estamos creando? Se pierde la ocasión para poder incorporar personas valiosas. Debe tenerse en cuenta que serán precisamente las personas mejor preparadas tanto profesional como personalmente las que no aceptarán incorporarse a una organización exenta de flexibilidad, valor básico para el buen funcionamiento de una empresa. Es preciso avanzar en la línea del desarrollo de los valores intangibles, tan ocultos en las empresas pero tan necesarios para el desarrollo y crecimiento en un entorno tan variable y competitivo, en el que es imprescindible acumular todo aquello que pueda aportar valor. Eso es lo que crea la verdadera diferencia, y no podrá existir tal «diferencia» sin la implicación de los elementos humanos que forman la empresa: ellos son el verdadero valor diferencial.

El espacio individual, una necesidad

La capacidad para crear espacios individuales será un elemento clave a la hora de motivar a las personas en su elección, ya en estos momentos existe una especial sensibilidad por este tema a la hora de elegir una u otra empresa. La valoración nace lógicamente en los niveles más altos, y se da en aquellos profesionales que tienen otras opciones y que exigen un determinado comportamiento, tanto en lo profesional como en la relación humana establecida que desarrolle la organización. ¿Están las empresas preparadas para dar ese paso, y qué cambios son necesarios para lograrlo?

Reformar la gestión de los RR.HH.

La nueva situación creada por la transformación tecnológica y la globalización tiene innumerables efectos, que se dejarán sentir tanto en el trabajo como en la forma de relacionarse entre las personas, y para poder asimilar esos cambios las empresas van a necesitar asumir nuevos criterios en lo relacionado con la «gestión de los recursos humanos». Esto implica nuevas formas de concebir la organización.

4.2. El primer proyecto

Con frecuencia, iniciar un proyecto es fruto de la casualidad y el azar. En otros casos, la iniciativa es realmente algo deseado y pensado, y también puede suceder que unas determinadas circunstancias permitan u obliguen a tomar la decisión de crear una empresa. En cualquier caso, estamos hablando de la «ópera prima» de alguien que quiere convertirse en empresario.

Los primeros pasos para convertirse en empresario tienen como principal característica la ilusión, que es a la vez inquietud e incertidumbre ante lo desconocido, el ser capaz de asumir un riesgo económico y personal. No obstante, se necesitan unas determinadas cualidades y, por encima de todo, se requiere sentido de realidad, saber ver las cosas con el máximo de objetividad. Es necesario un cierto valor y también capacidad de soportar la presión sin angustiarse. Tampoco debemos olvidarnos de la faceta creativa: se precisa olfato, intuición, sexto sentido, visión, sentido de la anticipación y amor al riesgo. El empresario tiene que saber arriesgarse, soportar la incertidumbre. Gestionar la ambigüedad es uno de los valores principales en un emprendedor, y es lo que le va a permitir llegar a convertirse en empresario.

Sin embargo, será el dinamismo y sobre todo la acción constante lo que permitirá convertir el «sueño» en realidad. ¿Por qué hablamos de sueño y de ilusión, cuando la empresa son realidades tangibles y principalmente resultados? Sencillamente, porque es un deseo lo que pone en marcha la idea, y será a base de constancia y tenacidad como se logrará aquello que realmente se quiere, que es hacer posible una ilusión en forma de proyecto. No puede existir proyecto sin una persona que crea en él, lo siga y lo persiga hasta conseguirlo. El principal motor es la confianza de la persona, que se considera capaz y busca los recursos necesarios para seguir en la lucha por lograr hacer realidad algo en lo que es posible que, aparte de la persona implicada, nadie crea.

La grandeza de los emprendedores está esencialmente en su capacidad para creer en ellos mismos, sentirse seguros de poder asumir cualquier situación que se presente, no desfallecer ante la adversidad sino todo lo contrario, hacerse más fuertes y ganar confianza. No podemos olvidar que son soñadores-realistas pero soñadores al fin, y para convertir esas ilusiones en realidad necesitan ser capaces de crear opciones nuevas y recrear otra forma de hacer, y para convertir en algo tangible esa visión es necesaria una vitalidad que no todas las personas poseen. Estos emprendedores viven el reto constante y desafían continuamente todas las reglas establecidas, lo que puede convertirlos en «outsiders» en los inicios si realmente no encuentran el espacio que buscan. Muchos grandes empresarios y la casi mayoría de empresas se han puesto a caminar de forma muy similar, ya que si se dan otras circunstancias ya no estamos en el terreno de los «emprendedores natos» ni se trataría del primer proyecto, como es el caso al que nos estamos refiriendo.

Las ocasiones/oportunidades

El verdadero emprendedor las provoca y encuentra; el acomodaticio y en el fondo gandul no será nunca un emprendedor y mucho menos empresario, y además se pasará la vida viendo problemas como justificación de su incapacidad para tomar la iniciativa. En el fondo, este tipo de personas son incapaces de reconocer sus errores y les paraliza su terquedad, y por miedo a equivocarse se aseguran de no hacer nada ¡y así les va!

Sin embargo, la persona que acepta sus errores y sabe aprender de ellos sin vergüenza ni miedo es el que avanza y persiste sin temor a fracasar, ya que de toda equivocación es posible sacar una lección válida. Ese es el gran ejemplo que nos han dejado personas excepcionales que, por persistir en su deseo de avanzar y progresar, han logrado que podamos vivir hoy en las condiciones de bienestar y progreso en las que vivimos. Es una obligación y exigencia como ser humano; lo contrario es vegetar. Está claro que cada cual tiene unas posibilidades, y en función de las mismas hay que esforzarse en desarrollarse, y no hacer el esfuerzo y lamentarse constantemente es pasar a ser un parásito para la sociedad y para él mismo.

Alimentar algo es favorecer su crecimiento. En el caso de los emprendedores, y sobre todo en un primer proyecto, el alimento para que el mismo se pueda desarrollar, las vitaminas que no pueden faltar son, entre otras, entusiasmo, confianza, voluntad, trabajo, conocimientos, optimismo, coraje, decisión, y sentido de realidad.

Un factor a considerar, no sólo en la primera fase de la puesta en marcha de un proyecto sino como elemento constante en cualquier actividad, es evitar las lamentaciones, que sólo sirven de consuelo a las personas pesimistas que se recrean y compadecen de sí mismos.

El tiempo como valor

El concepto que tenemos las personas del tiempo es distinto, y por dicho motivo la valoración que hacemos del mismo es diferente. En cualquier actividad el tiempo es un factor clave. Sin embargo, pocas veces nos paramos a pensarlo, y seguimos actuando como si nuestras acciones fueran ajenas al tiempo; una prueba la tenemos en el mal uso que se suele hacer del mismo.

Pero, ¿cuál es el valor real que tiene el tiempo en nuestra vida? Eso va a depender de cada persona en particular, de cada situación o circunstancia y, sobre todo, de la decisión o la indecisión, factor este último que tiene una incidencia muy superior a lo que a primera vista pueda parecernos. Veamos algunos ejemplos para situarnos:

a) *NO DECIDIR.* No tomar una decisión es decidir mucho, aunque muchas personas creen que es un tiempo que les va a permitir decidir mejor, pero no se paran a pensar que también es perder una oportunidad. Al tomar la decisión de no decidir, se crea la ocasión de que se produzcan efectos que no vamos a tener la oportunidad de controlar y de los que quedaremos fuera de juego, ya que la persona que espera nuestra decisión tomará otras iniciativas, que tendrán con todo seguridad un efecto en el asunto en cuestión que hemos decidido no decidir. Podemos, por tanto, pensar que los efectos que queremos evitar con la «decisión de no decidir» son precisamente los que vamos a propiciar que sucedan. En este caso el factor tiempo en forma de demora del mismo producirá un efecto contrario al deseado.

b) *DECIDIR.* Tomar la decisión es actuar para que algo suceda y llegar a alguna parte, es pasar a la acción, anticiparse o tratar de ganar tiempo y acelerar los acontecimientos. Es poner los medios para activar una respuesta de algo para lo que queremos lograr o conseguir un efecto determinado. También se genera la oportunidad de buscar otras alternativas en caso de que la otra parte opte por la indecisión o la decisión de no hacer, que viene a ser la misma cosa. Este supuesto de «decidir hacer» tiene la enorme ventaja de que se está tomando la iniciativa, lo cual quiere decir que ya se ha valorado, que se ha tomado un tiempo para reflexionar, que no se necesita reflexionar el asunto porque se tiene claro qué se quiere decidir y se asumen las consecuencias o, simplemente, no se han previsto consecuencias y si las hay se afrontarán sin más, y así sucesivamente.

CONOCER LOS TIEMPOS. No estamos hablando del tiempo meteorológico, de ese ya se preocupan estupendos profesionales y que no son pocos. Estamos en el tema de «saber darse cuenta del momento oportuno». Nos referimos a la «sabia virtud de conocer el tiempo», que nos dice el maravilloso bolero. Queremos insistir en aquello de «hacer las cosas a tiempo», no pararnos y «llegar a tiempo» para poder «estar en el tiempo», porque deseamos ser personas de «nuestro tiempo» que no queremos que el «tiempo pase sin sentir». Pero, por encima de todo, lo que se tiene que evitar es llegar a destiempo, es decir, tarde.

4.3. La oportunidad de aprender

Empezar a trabajar o montar una actividad conlleva la oportunidad de poder aprender de los demás, tanto de las personas de las que podemos depender como de los colaboradores con los que necesariamente nos vamos a relacionar. Con toda seguridad se aprende también del que tiene la última palabra, que no es otro que el que contrata o el cliente que usa el producto o servicio. Las opciones para aprender en la vida están al alcance de cualquiera, y pocas cosas existen que tengan un coste más insignificante que la actitud y predisposición de aprender. Sin embargo, es necesario hacer un ejercicio importante de «humildad» para reconocer en otros cualidades y actuaciones dignas de imitar o admirar. Es más frecuente no reconocerlo o, peor aún, ignorarlo, e ir por la vida de «suficiente para todo» o de prepotente, que viene a ser más o menos lo mismo.

Observar a los demás nos permite conocerles y conocernos, y a partir de esa premisa nuestra capacidad de observación o curiosidad nos aportará otros muchos valores que nos van a dar la oportunidad de descubrir nuestras verdaderas posibilidades, y será en ese desarrollo en el que podremos encontrar motivación para aprender en cada oportunidad que se presente, propia o ajena. No existe diferencia alguna: las ajenas dejan de serlo si se es capaz de mirarse en el espejo de la realidad, que es la que menos engaña, y también es la que brinda la oportunidad de encontrar soluciones a las dificultades; precisamente por estar cerca de la realidad uno se equivoca menos que tratando de encontrarla con disimulos o ignorándola, en cuyo caso lo que se consigue es dilatar la solución.

Estar receptivo, una forma de aprender

Siempre se ha dicho (y no es ninguna tontería) que la vida es la mejor escuela, y las cosas que forman parte de la misma son los elementos que ofrecen la posibilidad de actuar de una determinada manera. Esa «divina comedia» que es la vida, puede algunas veces convertirse en drama si no se está en condiciones para poner cada cosa en su sitio. En determinadas circunstancias ni siquiera se tiene esa posibilidad, por más preparado que se esté. Sin embargo, siempre que sea posible poder tomar parte activa de aquello que puede afectar a nuestra vida, es necesario hacerlo y tratar de aportar algo más que la actitud pasiva de resignarse.

En el terreno laboral, tener una predisposición al aprendizaje es la mejor forma de poder desarrollar una actividad, con independencia de la carga de rutina que la misma tenga. Únicamente la persona que realiza una función puede incorporar valores a la misma. Por simple que pueda parecer, siempre hay un espacio para la creatividad personal en la forma y también en el fondo; no conviene olvidar que los verdaderos contenidos los aportan las personas, tanto con sus conocimientos como con su actitud, habilidad y valor personal, a la tarea que se realice. La principal compensación será la propia satisfacción de saber hacer las cosas de la forma más adecuada en cualquier caso.

Es conveniente no olvidar que la vida es aprendizaje constante, tanto en lo personal como en lo profesional, y que lo uno va unido a lo otro si realmente se quiere crecer y evolucionar. La verdadera materia prima es algo inherente al ser humano y su disposición mental y física (el famoso *mens sana in corpore sano*). Ese es el factor básico que nos permitirá desarrollar la responsabilidad de nuestra conducta y hacer de la misma un observatorio permanente.

5

Emprender

5.1. El mercado global como oportunidad

El mercado global es ya una realidad de la que no se puede dudar. Conlleva grandes cambios para las empresas, con independencia de su tamaño, desde la micro a la multinacional pasando por las medianas y grandes; todas sin excepción deberán adaptarse a las nuevas reglas de juego que impone la globalización.

Algunos pueden preguntarse qué va a cambiar para una empresa que no tenga la pretensión de ampliar sus horizontes comerciales y que se defiende bien en su nicho de mercado, con una clientela bastante fiel y con unos resultados válidos. Podemos afirmar que cambiará (y mucho), y será difícil sobrevivir sin adaptar el negocio a las nuevas exigencias que el mercado impone en cualquier actividad con posibilidad de negocio, es decir, cualquier producto o servicio que pueda interesar a los consumidores. Si existe mercado existirá competencia, y la competencia vendrá; mejor dicho, ya está aquí. Tan sólo aquellas actividades puramente artesanas (y en cualquier caso con escasas posibilidades de crecimiento en cuanto a la demanda) no sufrirán directamente el canibalismo, sin que ello signifique que no vayan a tener competencia indirecta que les afecte.

La gran transformación que supone el mercado global sólo puede representar una ventaja para los que inicien una determinada actividad,

que van a disponer de todo tipo de información relativa al sector, productos, servicios, mercados, redes, posibles socios y todo aquello que se
precisa para tomar la decisión de crear una empresa. No existen dudas,
por tanto, respecto a las posibilidades que ofrecen las circunstancias
coyunturales de una economía globalizada, que ofrece con generosidad
la oportunidad de participar a todos aquellos capaces de «ver y adivinar»
cuál es el «espacio» que pueden tratar de ocupar y, sobre todo, compartir con tantos competidores como se tenga intuición para imaginar.

La globalización acerca los mercados, los conecta y simplifica para
hacerlos asequibles a las ideas y todo tipo de productos y servicios, y
se convierte en algo familiar. Ya a nadie le preocupa que un producto
se fabrique en una determinada parte del mundo; se tiene la certeza
de que ese producto estará disponible en el plazo más breve posible,
es decir ¡ya! El mercado como tal ya no tiene limitaciones para poder
ofrecer todo aquello que se produce en cualquier parte del planeta: la
logística ha logrado adecuar en técnica y medios una red de transportes y servicios para complacer al más exigente.

La situación actual facilita y ofrece a una pequeña organización la
opción de poder competir o incluso colaborar con grandes empresas. Se trata de ser capaz de generar «valor diferencial» y, por encima de todo, de tener la posibilidad de seguir creándolo, ya que cuando el «valor diferencial» en forma de producto o servicio está en el
mercado ya ha dejado de ser «diferencial» para convertirse en materia susceptible de imitación, y consecuentemente mejorado, y el tiempo que se puede tardar en copiar en esta sociedad «tecnicoglobal»
es récord, es decir, inmediato desde que se descubre que puede interesar a un número determinado de usuarios o consumidores.

El precio, factor clave

La gran revolución tecnológica acompañada de la transformación
logística ha permitido que se puedan crear productos y servicios a pre-

cios cada vez más competitivos. Estos factores, acompañados de la atonía del mercado como consecuencia de unos años difíciles, han sido los detonantes que han generado una «cultura» de ofertas y regalos que ya no tiene retorno, todo lo contrario; ha provocado un caos generalizado en el que ya no se sabe si tiene más valor lo que regalan que lo que se compra. Un ejemplo claro lo tenemos en los típicos quioscos de periódicos, tebeos y revistas; hoy son verdaderos bazares de lo más surtido, sobre todo los domingos. Parece complejo que puedan seguir con las dimensiones actuales, ya que de seguir en el camino iniciado podemos acabar con una bicicleta por la compra de un determinado periódico. ¡A este paso nos pagarán por comprar! (la posibilidad está muy cerca).

La inmediatez, elemento clave

Sabemos que determinadas opciones de negocio o actividad a realizar precisan una valoración e inversión, y ambos factores pueden ser un freno a la hora de iniciar una actividad si no se disponen de los suficientes recursos. Por lo tanto, es necesario plantearse una primera fase o etapa con criterios muy realistas de viabilidad, y pensar en aquellas opciones que por su inmediatez en la creación y desarrollo sean susceptibles de estar en el mercado de forma inmediata y necesariamente a precio competitivo, factor determinante para participar en el nuevo escenario que ha creado la globalidad comercial, que es lo que realmente es.

Se trata, por tanto, de aprovechar la agilidad y ligereza que tiene aquello que nace de cero para convertirlo en elementos favorables y dinamizadores que permitan llegar antes que los «grandes monstruos», que, a pesar de sus grandes implantaciones y recursos, algunas veces no están en condiciones de ser suficientemente ágiles para ocupar aquellos «gaps» que puede ocupar «la empresa en tiempo real». Ésa es la que los nuevos emprendedores tendrán que crear: pasar de la producción en masa a la producción a medida, eliminando stocks, lo cual nos permite la inmediatez electrónica. En definitiva, se ha generado una competición con el tiempo como el elemento más poderoso, que dará como resultado «empresas sin fronteras», que tendrá en la innovación la clave del éxito.

Implementación constante de la creatividad

Es el elemento básico para cualquier empresa, con independencia de su tamaño o actividad. El que decide lo que se consume o usa es el que compra, manda y exige que le sorprendan e ilusionen, y lo pide de forma clara, eligiendo aquello que le da satisfacción plena, pero no sólo en el contenido, también en el precio, que tiene que ser el más bajo. Y todavía va más lejos: quiere tener el mejor servicio posventa, y si no es así ¡simplemente no compra! Con ello, lo que realmente está demandando es esa creatividad e innovación en cada uno de los pasos que componen el circuito de la compra y la demanda.

La calidad, una exigencia

Actualmente no puede concebirse nada que esté en el mercado que no tenga la calidad «suficiente». Los estándares de calidad están establecidos y tienen que respetarse (y superarse si es posible). Además, ya no se puede presumir por ello, bien al contrario; el que no respete ese código es rechazado y no cuenta para los que tienen la última palabra, que son los que hacen posible que una empresa pueda desarrollarse. La credibilidad es lo que distingue a unos de otros, y las marcas que producen saben perfectamente que ese es específicamente su mejor y principal valor, y también que mantenerla es el objetivo principal. Jamás dio resultado reducir la calidad para competir, todo lo contrario; investigar y superar los niveles ya establecidos, innovando en todos los aspectos posibles, es lo que distingue y marca la diferencia.

Desintermediación

Es la eliminación de los intermediarios en la actividad económica, que incluyen agentes, brokers, mayoristas, y cualquiera que esté entre el fabricante y el consumidor. A cambio, la «infoestructura» (estructura informática) proporciona la plataforma que permite tanto la innovación de nuevos productos como el acceso a los consumidores y usuarios, que se convierten a su vez en parte de los recursos de información que permiten una interacción directa.

El «servicio a la carta» y a medida del deseado cliente es ya una constante en la nueva y, por otro lado, imprescindible dinamización en la relación. Lo estandarizado y estático tiene que dejar paso a una nueva dinámica, tanto en la creación como en la comunicación, que permita implementaciones reales y virtuales de nuevos conceptos que, inevitablemente, tienen limitada su vigencia, es decir, tiene fecha de caducidad.

5.2. La microempresa, valor en alza

Todo parece indicar que el nuevo siglo XXI va a ser el que permita que la microempresa tenga el reconocimiento que merece. ¡Mejor tarde que nunca! Todas las miradas están puestas en ella, y aquellos a los que les correspondía hacer algo desde hace tiempo se han apresurado a tomar el tren de la olvidada microempresa; bienvenidos si realmente están dispuestos a colaborar, apoyar y desarrollar medidas que puedan favorecer a las sacrificadas empresas que, a pesar de su tamaño, tienen que luchar por hacerse con un lugar en el mercado, compitiendo con las grandes multinacionales, buscando «desesperadamente» su oportunidad.

Sin embargo, la lucha a la que están sometidas ha conseguido hacerlas más fuertes para poder hacer frente a toda clase de situaciones, y de esa forma han podido sobrevivir a la vez que han acumulado vitalidad para plantarse y decir muy alto que reclaman su parte de protagonismo y consideración, no más del que les corresponde pero tampoco menos. La base de su principal argumento es sólida y las cifras así lo acreditan:

a) Representan el 96 % del tejido empresarial en España.

b) Son las mayores generadoras de empleo estable.

c) Actualmente son el motor del desarrollo económico en todo el mundo.

d) Son la fórmula más adecuada para los emprendedores.

e) Son la fuente principal del autoempleo.

f) Su tamaño es una ventaja competitiva en el mercado global.

g) La organización en red es una oportunidad para el crecimiento.

Es necesario tener en cuenta que la microempresa ha tenido que realizar un enorme esfuerzo de adaptación para poder soportar todos los cambios que el nuevo entorno ha creado. Si a ello le añadimos que los primero años de vida de una empresa (es decir, sus inicios) son complejos y que la mayoría de proyectos se llevan a cabo con mínimas ayudas en forma de subvenciones, que sirven para la puesta en marcha, valoraremos la importancia que tienen las empresas que han podido resistir hasta poder llegar a hoy. Por otro lado, cabe considerar que la persona que se siente realmente emprendedora acostumbra a iniciar su proyecto con recursos propios, y es en una segunda fase durante la cual buscará algún tipo de ayuda, debido principalmente a la demora y formalismos inevitables con los que necesariamente se encuentra todo el que decide crear una actividad por primera vez.

El doble mérito que tienen estos emprendedores es que parten de cero y se atreven a poner en marcha una idea, en muchos casos sin haber realizado grandes estudios ni planes de viabilidad, y mucho menos un plan de empresa que les permita valorar las posibilidades de éxito del proyecto. Por lo tanto, el riesgo es mucho mayor: trabajan «sin red», y no debe sorprendernos este hecho en concreto, ya que esa ha sido la forma en que tradicionalmente actuaba un emprendedor, y ha sido en los últimos años cuando han aflorado algunos servicios en forma de planes de apoyo y soporte, principalmente para las mujeres emprendedoras. Algunos ejemplos de dichos planes son los siguientes:

1. *Barcelona Activa* y el *Programa Odame* son un ejemplo del tipo de servicio/asesoramiento al que nos referimos, que bajo el paraguas del Ayuntamiento de Barcelona y dirigido por la tercera Teniente de Alcalde, Maravillas Rojo, acaba de anunciar la creación de un nuevo módulo para dar soporte a los emprendedores (Barcelona Activa), al que parece van a dedicar alrededor de unos 1.000 millones de pesetas.

2. El *Programa Odame*, dirigido por Pepi Sánchez (que fue su creadora), se ha dedicado exclusivamente a la mujer emprendedora, y nos consta que del mismo han salido un buen número de empresarias. Sabemos que ha sido Programa/Plan de referencia en la comunidad europea, y los años que lleva funcionando son una muestra de su eficacia. Fue el Alcalde Pascual Maragall el gran dinamizador del proyecto, tanto en su puesta en marcha como en el desarrollo posterior.

3. *Servei Autoempresa* es un equipo formado por personal del Departamento de Trabajo de la Generalitat de Cataluña cuyo objetivo general es fomentar la creación de nuevos puestos de trabajo a través de la autoempresa. Xavier Agulló i Teixidor junto con el equipo que compone el servicio de autoempresa han realizado un gran trabajo, y los datos son un reflejo de la eficacia del mismo. De la misma forma en que acostumbramos a quejarnos de los servicios que no funcionan, es lógico destacar aquellos que sí funcionan y prestan un buen apoyo a todos aquellos que se inician en una actividad, pues aquí pueden encontrar la ayuda y el soporte necesarios para poder desarrollar una idea que puede acabar en proyecto. Entre los servicios que se ofrecen a los «emprendedores potenciales» están los básicos e imprescindibles para ayudar a los interesados a poder tomar la decisión a la vez que comprobar su capacitación para poder llevar adelante el proyecto. El material que se entrega está bien elaborado tanto en el contenido como en la

forma, lo que demuestra de nuevo el conocimiento del tema, y en ello se tienen que buscar los argumentos que justifican el perfecto funcionamiento de este organismo a la vez que su eficacia. Además, existen un conjunto de servicios que complementan los genéricos ya comentados, que componen un conjunto de conceptos bien elaborados para llevar adelante la tarea de dar soporte y asesoramiento a los «emprendedores» de hoy para que puedan convertirse en empresarios en el futuro. El proyecto de autoempresa es una buena base para preparar los cimientos de una organización, y la primera etapa como autoempleado es un primer paso importante para conocerse uno mismo y poder valorar si se está en condiciones de crear una empresa y toda la responsabilidad que la decisión conlleva. Los que siempre nos hemos considerado «emprendedores», con independencia de la responsabilidad en la que hayamos estado, admiramos y valoramos a las personas capaces de trabajar con entusiasmo e ilusión con los principiantes, que convertimos en reconocimiento cuando realmente se consiguen buenos resultados, como sucede en este supuesto.

4. *NEX-PIPE* es una iniciativa para nuevos exportadores que ha puesto en marcha el COPCA (Generalitat de Cataluña) como servicio y plan específico para las empresas que desean incorporarse por primera vez al mercado exterior con unos mínimos en cuanto a facturación, que está alrededor de los 250 millones de pesetas.

5. *PIPE 2000* ha nacido de la mano del ICEX, y tiene como objetivo lograr que 2.000 empresas se inicien en la exportación y penetración en otros mercados. Para ello ha buscado la colaboración de los Gobiernos Autónomos.

6. *CTD y FIDEM* son dos ejemplos de actividades nacidas de la voluntad de unas empresarias lideradas por Anna Mercadé, que ha sabido crear dos organismos complementarios para dar

soporte a las empresarias y, a la vez, servir de plataforma internacional a fin de conectar el colectivo de mujeres empresarias que forman CTD y FIDEM con el complejo mercado global. Anna Mercadé acaba de publicar un libro, «Mujer emprendedora», que con seguridad será una buena herramienta de trabajo para todas las mujeres empresarias, y también servirá para estimular a otras mujeres a emprender iniciativas empresariales y llevar a buen puerto sus proyectos.

Sería conveniente que las microempresas que ya están implantadas y tienen potencial para crecer tuvieran la posibilidad de formar parte de este tipo de proyectos, aunque en estos momentos por su limitación de mercado no estén en condiciones de cumplir los mínimos exigibles.

En lo que a iniciativas privadas se refiere existen algunas organizaciones, pero otras tendrán necesariamente que aflorar, ya que las posibilidades de acceder a otros mercados vienen principalmente de la mano de organizaciones capaces de crear «links» de intercambios que generen opciones de acuerdos comerciales, tanto de creación de nuevas propuestas como de simple transacción.

Asociaciones empresariales

Cada sector acostumbra a tener una asociación, y es aconsejable formar parte de la misma para poder estar al día de todo lo que afecta al mismo específicamente, a la vez que permite el contacto o intercambio con empresas dedicadas a la misma actividad.

Microempresa.bcn.net

Es un organismo privado, nacido de la iniciativa de un grupo de empresarios y profesionales, que pretenden dar su soporte a un proyecto genérico y global que permita el desarrollo de iniciativas encaminadas a potenciar tanto los valores como las posibilidades de las microempresas.

Se trata de desarrollar:
- Un espacio abierto a las ideas y la creatividad.
- Un encuentro con los valores, la solidaridad, el factor humano y la ética.
- Un foro de debate permanente para la microempresa.

Sus objetivos principales son:
- El desarrollo integral de la microempresa.
- Crear, elaborar y ejecutar propuestas que sirvan de soporte para la microempresa.
- Facilitar el acceso de la microempresa al mercado global.
- Dar soporte a nuevas profesiones y actividades innovadoras.
- Generar foros y espacios de interés común.
- Potenciar el intercambio de conocimientos y experiencias.
- Dinamizar la colaboración con organismos públicos y privados.
- Dar soporte a los emprendedores.
- El intercambio comercial de la microempresa.
- Desarrollar la solidaridad como valor humano.

Sus áreas de acción son:
- Foros y debates
- Economía / Empleo
- Social / Cultural
- Mercado global
- Medio ambiente

Por tanto, Microempresa.bcn.net busca la cooperación con organismos privados y públicos que tengan en dichos valores y contenidos su interés.

5.3. Prioridad para las Universidades

Despertar vocaciones empresariales

Estudiar una carrera y una vez finalizada realizar un máster a la vez que un segundo idioma, es algo cada día más frecuente entre aquellos alumnos que cada año, en un número aproximado de 170.000, quieren hacerse con un puesto de trabajo. Pocos son, sin embargo, los que se plantean la opción de tratar de iniciar un proyecto individual o colectivamente, y los casos que se dan son más consecuencia de la falta de oportunidades que de interés real. Y no puede sorprender que así sea, ya que los planteamientos convencionales que siguen imperando en las Universidades no contemplan ni tienen en cuenta que la situación actual, nacida como consecuencia de nuestra incorporación a la Comunidad Económica Europea y el nuevo entorno global, hace necesaria una revisión de los modelos establecidos para adecuarse a las exigencias del nuevo escenario.

Es imprescindible aplicar un sentido mucho más realista y cercano de las nuevas condiciones dominantes; las reglas del juego han cambiado y con ellas ha nacido un nuevo paradigma, que precisa una implementación diferente de las carreras, sobre todo en lo que a la predisposición y elección de opciones se refiere. Es básico introducir nuevos conceptos en los planes de estudios, en los contenidos y en las formas, y sobre todo en la implicación por parte de los estudiantes. No es viable pasarse tres o cinco años estudiando una carrera sin plantearse otras alternativas que la de conseguir un puesto de trabajo en una organización al finalizar los estudios; además de que resulta complejo, va en detrimento del potencial de la persona, que pasa unos años dedicado exclusivamente al estudio y totalmente alejado del funcionamiento real de la situación en ese otro mundo mucho más competitivo y complejo que sabemos que no acepta «aprendices» (ya hemos analizado en otro capítulo cómo se exige juventud y experiencia), como si dicho período, imprescindible por otro lado, pudiera borrarse en la trayectoria de una persona o fuera algo negativo, cuando realmente si la primera oportunidad es adecuada puede convertirse en un elemento de estabilidad y seguridad para el profesional, que podrá orientar sus inquietudes y planificar su proyecto personal con objetividad y conocimiento de sus verdaderas posibilidades.

La masificación de las Universidades ha tenido como consecuencia inmediata que bastantes personas hayan tenido que elegir una carrera más en función de la oferta o las posibilidades de su nota que de lo que realmente sentían o preferían estudiar. El resultado es que un número considerable de profesionales se van a encontrar trabajando en actividades que nada tienen que ver con su verdadero interés, algo que también puede suceder cuando se elige una carrera y posteriormente no se tiene la posibilidad de ejercerla. En este último supuesto se tiene al menos la esperanza de algún día poder dedicarse a aquello que se prefiere y para lo que en teoría está más preparado.

La distancia entre la Universidad y la realidad

Es demasiada como para que no produzca efectos no deseados por nadie pero reales y tangibles, que se hacen sentir cada día con más fuerza y pueden apreciarse en la frustración de aquellas personas que necesariamente se ven obligadas a dedicarse a realizar actividades secundarias como única salida a su paro laboral.

Todas las profesiones sin excepción tienen «overbooking»: los puestos vacantes no existen y los de nueva creación son escasos. La apertura de las fronteras también tiene su influencia en ambos sentidos, y son una oportunidad para aquellos que están dispuestos y capacitados y a la vez una amenaza cada vez mayor para la incorporación de profesionales de otras nacionalidades, sobre todo europeos. Todo ello, unido a la concentración de las multinacionales que, de manera acelerada, adelgazan sus estructuras por la necesidad que tienen de adaptarse al nuevo entorno global, que tiene en la inmediatez una herramienta para eliminar intermediarios para tratar de ser un poco más competitivos cada día (la famosa economía de escala ha dado paso ya a la «desestructuración y desintermediación»), lleva a las organizaciones a la situación de eliminar todo lo eliminable para poder concentrar sus esfuerzos y recursos en tratar de crear valor exclusivamente para el consumidor final de los productos o servicios. Se llega a tal extremo que bastantes empresas cometen el error de prescindir de personas valiosas por no ser capaces de entender que determinados profesionales no están dispuestos a permanecer en organizaciones que olviden que la organización es el ámbito en el que se genera la diferenciación de una empresa, y que son principalmente las personas las que tienen la posibilidad de generar a través de su creatividad esos valores. Las otras alternativas sirven simplemente para tratar de alargar una situación que tarde o temprano se tendrá que afrontar, y no sin consecuencias.

No puede sorprendernos que «determinados profesionales» tengan la posibilidad de poder elegir entre varios puestos, a cuál mejor en condiciones y contenidos, y que infinidad de profesionales que han realizado grandes esfuerzos estudiando una y dos carreras o un máster (además de los consabidos idiomas) se encuentren con el panorama de no poder tener un puesto mínimo en función de su preparación, y tienen que aceptar realizar otro tipo de actividades de menos nivel y, por supuesto, muy alejadas de lo que realmente les puede interesar, con el agravante del deterioro que ello representa para su formación al no tener la oportunidad de colaborar con personas de su mismo nivel, algo que en muchos casos puede resultar todavía peor que la propia experiencia de realizar por una temporada una actividad que nada tenga que ver con su carrera. El otro aspecto es que en ese puesto de emergencia la persona está alejándose del núcleo de su interés. En resumen, se mire como se mire, la situación es bastante difícil de asumir.

¿Por qué tan pocas personas se atreven a emprender?

Básicamente porque no los han formado para ello: no entra en los planes de estudio que se pueda estudiar una carrera para aprender a

ser «emprendedor». En las Universidades y en las Escuelas de Negocios se prepara a los estudiantes para que sean profesionales de la
empresa, las dirijan y sean ejecutivos, pero no los forman para que se
conviertan en creadores desde la nada emprendiendo un proyecto.
Les falta el hábito de poder pensar en otras opciones para las que se
precisa estar preparado, y más importante que los conocimientos
adquiridos es desarrollar las capacidades y potenciales personales de
creer en uno mismo y poner a prueba todo el potencial emocional.

Para ser capaz de emprender una iniciativa es imprescindible creer en
las propias posibilidades. Para ocupar un puesto de ejecutivo uno se
ampara en los conocimientos y formación, sin tener que asumir ningún
tipo de riesgo más allá de la dedicación a la tarea. El emprendedor-
empresario necesita ser más polivalente a la vez que creativo: tiene que
ser capaz de creer en un sueño que tendrá que convertir en realidad si
quiere seguir adelante, y por encima de todo necesita ser perseverante y
saber soportar bien la presión a la que se verá sometido por la incertidumbre de los acontecimientos, que convertirá en reto y estímulo. Ese es
el verdadero empresario, el que no se para ante las circunstancias adver-
sas, bien al contrario: hace de ellas su mejor oportunidad. ¿Puede un estu-
diante medio asumir esa responsabilidad? Honestamente creemos que
no, y casi mejor que no lo intente, ya que precisamente a ello se deben
tantos fracasos y cierres de negocios a poco de haberlos iniciado.

Cultura del emprendedor-empresario

Corresponde a las Universidades crear nuevos planes de estudios y
distintos perfiles de profesionales para elaborar lo que podría ser un
conjunto de asignaturas teórico-prácticas totalmente diferenciadas de
las actuales, para poder ir penetrando en la «Cultura del Emprendedor.
Empresario» como una salida profesional distinta de los planteamientos actuales, exclusivamente teóricos y bastante alejados de la realidad.

El cambio también tiene que producirse en la Universidad, tanto en la
pública como en la privada, con la dificultad de que, salvo alguna excep-

ción (Universitat Pompeu Fabra entre otras), las privadas, debido a su menor carga estructural, están en mejores condiciones para abordar la implementación de nuevas formas y contenidos, imprescindibles para poder formar empresarios desde el inicio de sus carreras. De la misma forma que el empresario se hace «cada día», aprender a ser empresario no es algo que se pueda posponer hasta haber terminado la carrera.

5.4. Responsabilidad de los gobiernos

La realidad en la que estamos, dentro del entorno europeo y global que se ha configurado y del que ya no se puede desistir, obliga y exige plantear otras opciones, asumir responsabilidades y, posteriormente, tratar de gestionar nuestras posibilidades con todas las ambigüedades que la propia situación plantea. Es el momento de las realidades tangibles; los períodos de prueba ya han pasado, y esto es así para todos: Gobiernos, Ciudadanos, Profesionales, Trabajadores y Empresarios. El siglo XXI va a representar un cambio sustancial a todos los niveles, que hace necesario un ejercicio de adaptación a la nueva situación (en las que algunas cosas ya han quedado muy bien definidas) y que, gracias a la transformación tecnológica, se tiene la posibilidad de «navegar» a todo el mundo y a cualquier hora simplemente teniendo un PC con módem. En el campo profesional es imposible describir las posibilidades en forma de facilidades para poder acceder a algo tan buscado y necesario como es la información. La dificultad radica en acotar, seleccionar y no dejarse llevar por la corriente de la «oferta virtual», de la que algunas veces es complejo alejarse.

Los medios de comunicación ponen al alcance de cada una de las personas que lo deseen una oferta de «productos y servicios» que resultaría tedioso explicar por lo extensa y también por la escasa calidad de algunas de las propuestas. Sin embargo, faltan contenidos en la mayoría de las programaciones, que son una imitación de las cuatro fórmulas que funcionan, y sobran las grandes dosis de fútbol, que es sin ninguna duda, junto a los culebrones, algunos programas rosados y otros más llenos de vanidad de la barata, el producto principal de cualquier televisión pública y privada.

En el ámbito del trabajo, los datos hablan por sí solos: los trabajadores autónomos (autoempleo es la palabra más actual) ya rondan el millón cuatrocientos mil según el INE (1.400.000), y los trabajadores por cuenta ajena suman trece millones (13.000.000), prestando sus servicios en ese millón setecientas mil empresas (1.700.000), de las que sólo el 5% tiene más de 20 trabajadores y el resto se considera microempresa. Tenemos una tasa de paro del 18,5%, que viene a representar unos tres millones (3.035.500) de personas en el paro, con una población activa de unos dieciséis millones (16.360.600), de la que el 40% son mujeres, todo ello sin contabilizar la economía sumergida en cuanto a número de empresas y empleados. (Fuente: INE -Instituto Nacional de Estadística de España).

Y como elemento clave central, constatar la salud de la que goza el consumo, que ha crecido gracias a la reducción constante de los precios, que ceden ante la agresividad competitiva que ejercen las multinacionales, las cuales no pueden permitirse ceder participación ni posicionamiento en el mercado y que tienen la intención fija de tratar de seducir a los protagonistas del mercado que no son otros que los consumidores finales. Ellos van a tener la oportunidad de exigir lo mejor al menor precio acompañado de un sin fin de atenciones, ya que la empresa en cuestión tratará de fidelizar al codiciado y voluble cliente, que no está dispuesto a comprometerse con nadie en pactos de fidelidad. A partir de ahora ese tema será muy serio y no estará al alcance de cualquiera.

Ciudadanos

Si hablamos de exigir a las empresas mejores productos y también unos servicios más adecuados, ¿por qué nuestro nivel de exigencia es tan limitado cuando se trata de servicios públicos y, sobre todo, somos tan tolerantes con las diferentes administraciones, desde la central a las autonómicas? Las administraciones, como centrales de productos y servicios, están obligadas a prestar los mismos por lo menos con la misma eficacia que cualquier organización privada, y tendrán que buscar la manera de gestionar los recursos que administran pensando en el interés general de los ciudadanos. Para ello será necesario (al igual que sucede en cualquier empresa) tomar medidas drásticas pero imprescindibles para conseguir estructuras ligeras y profesionales capaces, y necesariamente se tendrá que poner fin a situaciones de privilegios ancestrales o de deficiente gestión y organización que permitan una optimización de los recursos que, precisamente por ser escasos en función de todas las necesidades básicas que deben mantenerse, tienen que ser administrados con rigor y control.

Mecanismos de control

La primera interesada de que se puedan ejercer dichos mecanismos de control tendría que ser la propia administración, que lograría un mejor equilibrio, y hasta que los propios interesados no puedan participar de forma directa resultará complejo conseguir la credibilidad necesaria y exigible en un régimen democrático. Algo que comporta un precio muy elevado para los ciudadanos es la necesidad de que puestos de gran responsabilidad estratégica sean ocupados por políticos y no por profesionales: es la práctica habitual de todos los partidos, con independencia de que sean de izquierdas, derecha o centro. No puede pasar más tiempo sin que aquellos que tienen la responsabilidad de gobernar busquen soluciones imaginativas que permitan a los ciudadanos seguir más de cerca aquellos temas que tienen una incidencia tan importante en el funcionamiento general de la sociedad, sin que se tenga la posibilidad de plantear queja alguna a no ser que se reúnan un número imposible de firmas para poder presentar un recurso de amparo.

La realidad de los gobiernos es que se reúnen exclusivamente con los afiliados a los partidos, y es a través de sus diferentes órganos y sobre todo en sus Congresos en los que debaten sus líneas maestras de actuación. Al resto, que son la mayoría, sólo se les llama a votar cada cuatro años y puntualmente a pagar en muchas más ocasiones. Parece que la nueva situación y las nuevas tecnologías ponen al alcance de los políticos herramientas más que suficientes para poder contrastar y solicitar opiniones, algo que frecuentemente se hace; las encuestas y los estudios son moneda corriente, y en la mayoría de los casos de lo que se trata es de averiguar la tendencia de voto.

Emprender

Es un verbo de escaso uso en la Administración pública, que más bien acostumbra a mantener situaciones, personas y estructuras que necesariamente precisan una transformación, tanto en las formas como en los contenidos, que tienen que estar en concordancia con las nuevas necesidades de aquéllos a los que tiene que prestar servicios y que, además, están pagando por ellos.

La Sociedad Civil

La sociedad civil tiene la obligación y también el derecho de exigir una mejor aplicación de los recursos públicos, y tendrá que tomar parte activa e implicarse como colectivo para, en colaboración con los distintos organismos públicos, tratar de gestionar conjuntamente acciones y proyectos que puedan añadir valores a la sociedad o generar oportunidades para los menos favorecidos por las nuevas circunstancias. En cualquier caso, emprender tiene que ser una constante en una sociedad que pretenda estar en su tiempo, y tratar de buscar el equilibrio necesario entre lo público y lo privado como el factor clave de un entendimiento más humanizado de la sociedad.

Nota de la autora

Las empresas seleccionadas tienen bastante en común, sin que tengan nada que ver unas con otras ni por actividad ni por volumen de facturación. Es en lo cualitativo en lo que las hemos considerado «modelos». Ha sido en la tradición industrial, en la creatividad, en el empeño por desarrollar un proyecto de futuro para poder gestionar en el entorno global y, muy especialmente, por la personalidad de los que tienen en estos momentos la responsabilidad de dirigir las empresas elegidas.

Agradecer a Christian Mestres su propuesta de realizar una entrevista personal a cada uno de los empresarios y, sobre todo, el cariño y la profesionalidad con la que ha realizado las mismas.

Quiero expresar mi agradecimiento a todos estos empresarios, que han permitido con su inestimable colaboración que tengamos una visión más cercada de su empresa y también de ellos mismos.

6

Siete ejemplos de emprendedores

6.1. EL PAVO (FLO, S.A.): Fabricante de pastas alimenticias

Razón Social	FLO, S.A.
Sede Social	Bach, 40 / Polígono Ind. Can Jardí 08191 — Rubí (Barcelona) Tel.: 93-588.57.38
Sector	Alimentación
Actividad	Fabricación de pastas alimenticias
Facturación año 98	4.000 millones de pesetas
Año de fundación	1898
Persona entrevistada	Antonio Fló / Director General

Entrevista

P: *Emprendedores han existido desde que el hombre está sobre la tierra. En la familia Fló, esta característica se remonta al siglo pasado. El abuelo de los actuales propietarios de El Pavo lo era, y sus nietos lo siguen siendo. Ramón Fló nació en 1863 en Piera (Barcelona). Su vida fue un auténtico torbellino de actividad profesional desde que, a los 13 años, entrara como dependiente en una droguería. Su inquietud le llevó a Barcelona, donde compaginaba diferentes trabajos de dependiente con sus estudios. Finalmente, aquel no parar le permitió establecerse por su cuenta, ya que, como él mismo decía, «cuando uno trabaja 14 horas al día poco tiempo le queda para gastar». Así fue, pues, como Ramón Fló logró abrir su propio negocio de pasta en una trastienda, que pronto se quedó pequeña. Hoy dirigen la empresa los miembros de la tercera generación: Antonio y Joan Fló.*

R: Nosotros somos los continuadores de una empresa que ya tiene 100 años.

P: Sí, pero en 1981 un incendio les obligó a resucitar la empresa, lo cual debió suponer empezar de nuevo.

R: La empresa se quemó, o, mejor dicho, se quemó la fábrica. La palabra empresa es una palabra intangible. Aquello fue un shock. Por breves momentos te pasa por la cabeza dejarlo todo, piensas que no vale la pena. Pero eso son sólo unos breves instantes. Una empresa es algo más que una fábrica. Hay una marca, una imagen, una gestión, y todo eso no arde y desaparece tan fácilmente. Es cierto que la reconstrucción de la fábrica supuso un tiempo y coste elevado, pero todo es poco comparado con la historia que arrastrábamos y las posibilidades de la empresa.

P: ¿Qué es lo que definitivamente les impulsó a seguir adelante de nuevo?

R: Mi reflexión fue clara: lo que nosotros éramos no era una casualidad, no era fruto de la suerte ni de las circunstancias. Si habíamos alcanzado cierto éxito era por un saber hacer, una profesionalidad, y todo aquello no había desaparecido, por lo que volver a levantar el vuelo de nuevo era factible. Lo que sí es verdad es que en momentos como aquel te das cuenta de en quién puedes confiar y en quién no. Jamás olvidaré a aquellos proveedores que nos echaron una mano.

P: *Ahora, la cuarta generación se encontrará con una empresa que va viento en popa, pero quizás habrán otras dificultades.*

R: Cierto. Nos encontramos en un momento de grandes cambios en el mercado. El mercado hoy no es el mismo que hace pocos años. Nuestra competencia son los grandes grupos multinacionales, pero a veces la potencia económica no lo es todo. En el sector de la alimentación, para hacer algo bien y de calidad no son necesarios grandes capitales. Otra cosa es afrontar luego el mercado y la implantación del producto.

P: *¿Cabe la posibilidad de que un día su empresa sea engullida por un gran grupo multinacional?*

R: De tanto en tanto recibimos alguna oferta. Hasta el momento no nos han convencido, pero eso no quiere decir que algún día lo consigan. No podemos cerrarnos en banda. Decir en 1999 que nosotros siempre seremos independientes sería una petulancia gratuita. Está claro que, desde el punto de vista emotivo, jamás lo haríamos, pero la realidad muchas veces no la podemos controlar.

P: *En la empresa ya se encuentran trabajando miembros de la cuarta generación.*

R: Sí, pero eso no significa que el futuro director ejecutivo deba ser de la familia. Existe un protocolo familiar. Nuestra empresa no es una excepción: como empresa familiar, tiene unas características muy especiales, y la viabilidad pasa por la incorporación de profesionales de fuera de la familia. Evidentemente no somos pioneros en este tipo de medidas, pues es algo que ya hacen la mayoría de empresas familiares que aspiran a seguir siendo viables. Hay que ir separando propiedad de gestión.

P: *¿Cuáles son las ventajas de ser una empresa familiar?*

R: En la empresa familiar existe un gran dinamismo. La capacidad de decisión es rápida, ya que puede evitarse una gran cantidad de burocracia que invade a las grandes empresas. Está claro que en muchos aspectos la empresa familiar tiene una eficacia superior.

P: *¿Y las desventajas?*

R: Básicamente las problemáticas familiares. Se trata más de problemáticas de tipo humano y de comunicación entre miembros de la familia. El problema es que las cosas se enfocan muchas veces desde un punto de vista personal y sociológico, abandonando el punto de vista profesional de gestión. Muchas veces mezclar empresa y familia es algo muy delicado.

P: *¿Qué modelo de empresa le inspira?*

R: Nosotros tenemos por modelo a toda empresa que sea líder de calidad en su sector y que haga culto de la marca. Creemos en la empresa que jamás está dispuesta a sacrificar la calidad para ganar más dinero o para crecer. Esto es la utopía, pero hoy en día hay tantas tentaciones...

6.2. **ENVASES DEL VALLÈS**: Fabricante de envases

Razón Social	ENVASES DEL VALLÈS, S.A. (EDV)
Sede Social	Porvenir, s/n / Zona Industrial Sur 08450 – Llinars del Vallès (Barcelona) Tel.: 93-842.70.00
Sector	Envasado y embalaje coextruido
Actividad	Fabricación de envases
Facturación año 98	3.400 millones de pesetas
Año de fundación	1972
Persona entrevistada	Jordi Pursals / Director Gerente

Entrevista

P: Sólo cruzar la puerta de entrada de EDV, uno se da cuenta que se encuentra en un lugar donde hasta el más mínimo detalle aspira a la perfección. Avalada por los más prestigiosos premios y certificados de calidad, la empresa se dedica desde hace más de 25 años a la fabricación de envases. Situada en Llinars del Vallès (Barcelona), EDV ocupa el segundo puesto en su sector a nivel mundial. Todos sus competidores pertenecen a grandes grupos multinacionales, y pese a ser una empresa familiar, compite con ellos de tú a tú. Esto es así desde que Jordi y Josep Mª Pursals cogieron las riendas para acometer el cambio tecnológico que precisaba la empresa para afrontar con garantías este final de siglo. Esto ocurría a mediados de los 80, coincidiendo con la entrada en la empresa de Jordi. Hasta entonces, ¿cómo había evolucionado EDV?

R: La empresa nació por pura visión de negocio de mi padre.

Era el momento en que los envases empezaban a sustituir el papel por el plástico. Vio que existía una buena ocasión y se decidió ir a por ella. Al cabo de unos pocos años, el negocio quedó un poco en entredicho, ya que los clientes empezaron a comprar las bobinas de plástico para hacerse ellos mismos el envase. Durante esos años, la empresa fue creciendo a un ritmo relativamente lento.

P: *¿Qué es lo que le hizo despegar definitivamente?*

R: Era necesario un profundo cambio tecnológico. Todo este cambio coincidió con el relevo generacional al frente de la empresa, por lo que fuimos mi hermano Josep Mª y yo quienes llevamos a cabo todo el proceso. Los resultados de aquella transformación son evidentes. En el año 1987 transformábamos unas 2.000 toneladas, con una exportación a Francia de un 15 ó 20%. Hoy la empresa transforma 14.000 toneladas y exporta a 25 países.

P: *¡Qué grandes son Uds. para ser una empresa familiar!*

R: Fíjese que nuestros proveedores, las industrias químicas, son grandes multinacionales, nuestros clientes son multinacionales de la alimentación y nuestros competidores también son multinacionales. Pero no debemos tener miedo; las desventajas no deben de ser tantas desde el momento en que, en los últimos años, hemos pasado de la cola del pelotón a la segunda posición.

P: *¿Existe en España alguna empresa similar a la suya?*

R: No hay nadie en España que fabrique lo mismo que nosotros, y tiene una explicación. Nosotros tenemos un 80% del mercado español, y eso es sólo un 20% de nuestra capacidad. Estas cifras vienen a demostrar que los que han intentado copiarnos han llegado tarde. Es difícil hacernos sombra, pues es nuestra capacidad la que nos permite investigar, y ahí está la clave. Es una rueda que no para.

P: *Díganos alguna desventaja de ser una empresa familiar.*

R: Evidentemente, por ejemplo, la capacidad financiera que tienen los grandes grupos les posibilita afrontar cualquier tipo de proyecto ante el que nosotros puede que nos tuviéramos que frenar. Sin embargo, incluso esto es relativo, porque siempre es posible encontrar la fórmula para llevar a cabo dicho proyecto.

P: *¿Cuál es el arma de que disponen las empresas familiares frente a las multinacionales?*

R: La principal ventaja que tenemos es la agilidad. La toma de decisiones es mucho más rápida. De todas maneras, nosotros intentamos que, a pesar de ser una empresa familiar, se trabaje como en una empresa profesional. Con esto no quiero menospreciar ni a una ni a otra. Se trata de coger las cosas buenas de cada tipo de empresa.

P: *¿Qué desea para su empresa en el futuro?*

R: Lo único que espero es que EDV sea una empresa que esté preparada para asumir cualquiera de los retos que se le puedan poner enfrente. En nuestro caso, en un sector donde las fusiones crean empresas cada vez mayores, creo que deberemos crecer lo suficiente para, de este modo, hacer frente a las necesidades del mercado global del siglo XXI. Lo más importante es adaptarse a cada momento. Es cierto que hemos recibido ofertas, pero hasta que nuestro tamaño no nos comprometa el crecimiento o la posición en el mercado, no nos plantearemos una cosa así.

P: *El futuro de su empresa parece estar claro. Pero, de todas maneras, ¿por qué sector apostaría Ud. en estos momentos?*

R: Las telecomunicaciones, sin dudarlo. Pero lo que está claro es que en cualquier actividad de la vida, lo importante es que te sientas bien. El trabajo no debe ser sólo una necesidad, tiene que ser además un placer.

6.3. EUROMADI IBÉRICA: Central de Compras

Razón Social	EUROMADI IBÉRICA, S.A.
Sede Social	Laureano Miró, 145 08950 – Esplugues de Llobregat (Barcelona) Tel.: 93-473.09.09
Sector	Distribución
Actividad	Central de Compras
Facturación año 98	1,455 billones de pesetas
Año de fundación	1983
Persona entrevistada	Jaime Rodríguez Bertiz/Consejero Delegado

Entrevista

P: Cuando en otoño de 1995 EUROMADI y VIMA se fusionan, nace la mayor central de compras de España. Aquella parecía ser la culminación de un trabajo bien realizado durante muchos años. Pero los emprendedores, antes de llegar a una cima ya empiezan a ver la siguiente. Esta parece ser la constante en la vida de Jaime Rodríguez, este hombre en plena madurez profesional que inició su andadura en el mundo de las centrales de compras algunos años atrás. De hecho, el germen de lo que hoy es EUROMADI lo hallamos en 1983, que nacía como SELEX IBÉRICA y desde entonces no ha parado de crecer, englobando a otras centrales (Centra y Spar) para llegar a lo que es hoy EUROMADI, con más de 250 asociados y una facturación de 1,4 billones de pesetas. No está nada mal...

R: Para sólo 15 años no está nada mal. Hemos crecido integrando socios. Se trata de un proceso importante de fusión que culmina en el año 95, cuando nos unimos a VIMA, que era la antigua unión de Maeso y Vivó. Lo que se puede observar claramente es que se ha producido un proceso de concentración muy fuerte. Pero en el fondo de la cuestión no está ser el número uno, especialmente en nuestro sector, en que sólo puedes ser primero o segundo, último o penúltimo: lo realmente importante es hacer las cosas bien hechas, ser ágiles... no es tan importante ser los más grandes. Esta siempre ha sido mi filosofía.

P: Parece que la otra gran central de compras, IFA, no sea su competidora.

R: No lo es. Nuestros competidores son los hipermercados de capital extranjero, las multinacionales de la distribución. IFA es otro grupo que, como nosotros, se preocupa de que podamos ofrecer unas condiciones mejores en el mercado de las que recibiría la empresa de volumen medio individualmente. Cuando hablamos de competidor tenemos que hablar de los competidores de nuestros socios en el mercado, y sus competidores son los hipermercados franceses o cualquier empresa vertical de capital internacional. Tanto IFA como nosotros tratamos de defender ante esto a la gente de aquí.

P: Y esta concentración en sólo dos grupos, ¿cómo afecta al consumidor?

R: La concentración beneficia siempre al consumidor. La gente estaría comprando mucho más caro. En los últimos años, el precio de los productos ha crecido desmesuradamente debido a la publicidad y la necesidad de desarrollo, pero gracias a la evolución de la distribución se ha podido absorber este plus.

P: Parece que la entrada de estos grandes grupos extranjeros de la distribución va a más, y van absorbiendo a gente de aquí que, en consecuencia, dejan de ser clientes suyos. ¿Qué soluciones plantea Ud.?

R: Es muy probable que esto sea así y vayamos perdiendo clientes. Por ello creo que sería muy importante que los grandes grupos de distribución españoles pudieran colaborar con nosotros. En este momento, a nivel español existen algunos distribuidores muy destacados, como pueden ser Mercadona, Eroski o Hipercor, y en un futuro no muy lejano también podría incluirse a Caprabo. Debemos buscar uniones que podamos asumir los unos y los otros. Creo que este es el camino a seguir. Nosotros pertenecemos a un gran grupo europeo, y observamos que en Alemania ya se ha producido esta situación que aquí planteo. Si la central de compras evoluciona como es debido, en ella tiene cabida mucha gente importante que hoy va por libre sin ningún tipo de conexión internacional. Será una relación diferente a la que podamos mantener con un distribuidor más pequeño, pero esta convivencia es posible y necesaria.

P: La verdadera batalla es con los fabricantes. Es con ellos con quien se llevan a cabo las grandes negociaciones. ¿Es una relación difícil?

R: Siempre se ha hablado de los enfrentamientos entre fabricación y distribución. Yo siempre he opinado que este enfrentamiento sólo se produce entre una parte de la distribución y una parte de los fabricantes. No cabe duda que pueden haber tensiones y diferencias de opinión en una negociación puntual, pero no debe pasar de ahí.

P: ¿Cómo ve el futuro de las centrales de compra?

R: El volumen que gestionamos es y seguirá siendo muy importante. Por este motivo será clave intentar mantenerlo, buscando nuevos sectores económicos, y eso es lo que tratamos de hacer desde hace algún tiempo. Por otro lado, la central debe evolucionar ofreciendo otros servicios a socios y proveedores. Hoy existen servicios informáticos muy sofisticados, y haciendo un buen uso de ellos podremos ofrecer un gran servicio, ágil y rápido, a los fabricantes para que nuestros socios lo puedan aprovechar. No cabe duda que estar al día de las nuevas tecnologías va a ser una de las claves, y por este camino deben evolucionar las centrales.

P: Las nuevas tecnologías no sólo revolucionarán o están revolucionando un sector determinado. ¿No cree que la sociedad entera está sufriendo una profunda transformación?

R: Esta nueva revolución sociológica debemos analizarla desde dos vertientes. Por un lado, las nuevas tecnologías nos permiten solucionar muchos problemas existentes y lograr una mayor comodidad. Por otro lado, existe el peligro de convertirnos en una sociedad más fría y que se vayan perdiendo los más pequeños hábitos de contacto humano. Internet es un contacto muy frío entre personas. Lo que está claro es que no se puede ir contra este avance.

P: Si tratamos de dar un consejo a los jóvenes para este futuro próximo que se avecina, ¿cómo ve Ud. el panorama para los futuros empresarios?

R: Los jóvenes preparados, con ganas de hacer cosas y con iniciativa no tendrán problemas. Seguramente tendrán que adaptarse al entorno más de lo que tuvimos que hacerlo los de mi generación, pero también es verdad que los jóvenes llegan ahora más preparados para afrontar los retos del mundo profesional. Lo que sí es cierto es que, al igual que antes, hay pocas ayudas (al menos en mi caso no hubo ninguna). Las únicas ayudas que hubo por parte de la Administración fueron para las grandes cadenas de distribución que se implantaron. Nunca he recibido facilidades.

P: Hay quien resume en tres palabras las fórmula del éxito: trabajo, trabajo y trabajo. ¿Está Ud. de acuerdo?

R: Es cierto. No cabe duda de que la suerte no existe por sí sola.

P: Trump dijo un día: «Los negocios son mi forma de hacer arte». ¿Comparte Ud. esta afirmación?

R: En absoluto. Muchas veces son artimañas. ¡Cómo va a ser arte! El arte es otra cosa.

6.4. NEICHEL: Restaurante

Razón Social	RESTAURANTE NEICHEL
Sede Social	Beltrán y Rózpide, 16 bis 08034 – Barcelona Tel.: 93-203.84.08
Sector	Restauración
Actividad	Restaurante
Facturación año 98	155 millones de pesetas
Año de fundación	1981
Persona entrevistada	Jean Louis Neichel / Propietario

Entrevista

P: Hemos quedado a las 11 de la mañana. A esa hora el restaurante ya trabaja a tope, pero el Sr. Neichel hace un hueco para atenderme. Entrar en Neichel es entrar en uno de esos santuarios gastronómicos en los que la cocina es arte, por lo que entro sigilosamente. Esperaba encontrar una sinfonía de platos y cubiertos mezclada con fantásticos olores. La sinfonía es muy diferente: el Sr. Neichel discute con un proveedor, y no viste el clásico uniforme de chef.

R: La cocina es arte, pero no olvidemos que también debe ser negocio. De esto viven 20 familias. A mí lo que me gusta es meterme en la cocina y no parar de crear platos. Ahí es donde disfruto y donde me siento a gusto. Pero luego también me encierro en mi despacho, reviso las cuentas, discuto con los proveedores y guerreo para conseguir lo mejor al mejor precio.

P: ¿Y todo eso lo enseñan en las escuelas de hostelería?

R: Creo que no. Muchas de estas cosas las enseña la experiencia. Cuando sales de la escuela es como cuando te sacas el carnet de conducir, no sabes conducir. Para dirigir un buen restaurante no basta con ser bueno en la cocina: también hay que saber llevar al personal, llevar la contabilidad, saber negociar, etc. Yo eso lo aprendí a base de golpes, pero en esta vida hay que arriesgar, y yo lo hice.

P: ¿Cómo?

R: En 1971, tras haber trabajado en restaurantes de Bélgica, Suiza, Alemania y Holanda, conocí por casualidad a un doctor de Düsseldorf que me habló de un restaurante que tenía en la Costa Brava y al que quería darle un nuevo impulso. Era «El Bulli». Hasta entonces era un restaurante de paellas y sangría. Me propuso ponerme al frente del restaurante para darle un giro de 180 grados, y no me lo pensé. El propietario no era del ramo, y me daba total libertad. Era una gran ocasión.

P: El proyecto era bonito, pero supongo que no fue fácil convertir aquello en un restaurante de referencia.

R: No lo sabe Ud. bien. Piense que en aquella época no había escuelas de hostelería en España, con el agravante que traer personal foráneo era muy difícil. Yo había hecho prácticas en prestigiosos restaurantes, y aquel panorama parecía insalvable, pero había que lograrlo. Nos pusimos manos a la obra. Yo hacía de todo: de director, de gerente, de jefe de cocina, de contable y hasta de chófer. Un año después, Néstor Luján hizo una buena crítica del restaurante y aquello fue la consagración del cambio.

P: Supongo que ahora se acuerda de los momentos difíciles.

R: Los recuerdo con nostalgia. Cuando me ofrecieron llevar «El Bulli» yo tenía 28 años, y con la energía que da el ser joven me propuse levantar aquello. Era un reto. Piense que «El Bulli» era un restaurante alejado de grandes ciudades, con una carretera malísima, sin teléfono... Pero cuando ves que los resultados llegan, la satisfacción es máxima.

P: ¿Y por qué lo dejó?

R: Ya llevaba 10 años y el propietario no tenía ningún interés en vender el restaurante. A mí me hacía ilusión tener algo mío, y así se lo dije. Busqué lugares por Figueres porque me había enamorado de l'Empordà, pero aquella «plaza» estaba ocupada por tres buenos restaurantes y creí que no había sitio para un cuarto. Fue entonces cuando me vine a Barcelona. Fue un poco de rebote, pero pronto supe verle el lado bueno a las cosas. Además, todo fue bien desde un inicio. Llegaba con la fama de «El Bulli». Hubiera sido diferente empezar de cero en Barcelona. Creo que para llegar a hacerte con un nombre son necesarios 4 ó 5 años.

P: Así pues, ¿qué le recomienda al joven que parte de cero y sin un capital importante?

R: Está claro que el dinero es un handicap para la gran mayoría de jóvenes. Hoy en día, para abrir un restaurante necesitas unos 100 millones de pesetas. La solución que han encontrado los más espabilados y los que tienen ganas de hacer las cosas bien hechas consiste en abrir pequeños restaurantes donde se hace buena cocina, pero sin buscar el marco que pueda disparar todo el presupuesto. La otra posibilidad es encontrar un socio capitalista, aunque para los jóvenes esto es casi una utopía.

P: Y Ud., ¿qué metas profesionales se ha fijado?

R: Quiero llegar a tener un restaurante perfecto. No pretendo crecer. Lo único que quiero es mejorar en la cocina, en el servicio. Tenemos una capacidad para 50 personas y es una medida ideal para el tipo de restaurante que tengo. Piense que a mí no me afectan para nada las crisis económicas. En una ciudad como Barcelona siempre habrán 50 personas que decidirán darse el placer de comer productos de primera calidad cocinados con delicadeza, imaginación y cariño.

6.5. CAFÉS SAULA: Maestros tostadores de café

Razón Social	SAULA, S.A.
Sede Social	Avda. Laureano Miró, 422-424 08980 – Sant Feliu de Llobregat (Barcelona) Tel.: 93-666.25.51
Sector	Alimentación
Actividad	Tostado y comercialización de café
Facturación año 98	1.000 millones de pesetas
Año de fundación	1950
Persona entrevistada	Lluís Saula Pons / Consejero Delegado

Entrevista

P: Viendo a la familia Saula uno puede creer realmente que la vocación empresarial y el espíritu emprendedor se lleva en los genes, transmitiéndose de una generación a otra. Todos han creado empresa, pero vamos a detenernos en Lluís Saula Pons y el camino que recorrió desde su pequeño colmado hasta la ejemplar empresa de café que hoy dirigen sus tres hijos.

R: Mis inicios están muy relacionados con las pastas alimenticias. Había sido siempre el negocio de la familia, pero al acabar la guerra civil mi padre se quedó desvinculado de la empresa por herencia, y tuvo que buscarse la vida. Siendo como era un auténtico técnico en pastas alimenticias, recorrió la geografía española alzando fábricas que disponían de materia prima pero no de los conocimientos técnicos necesarios. Así fue cómo se ganó la vida durante varios años, aunque su mayor ilusión era poder tener algún día su propia fábrica. Mientras, yo abrí una pequeña tienda en Barcelona con la intención de vender pasta fresca.

P: Su padre logró alcanzar su objetivo de tener su negocio propio.

R: Sí, así es. Mire si tenía ilusión, que antes de tenerlo ya había registrado el nombre: «La familia». Finalmente encontramos un pequeño fabricante de pastas en Barcelona que, tras convencerle, accedió a traspasarnos el negocio. Para ello mi padre tuvo que vender todo lo que tenía en Calella (Barcelona), su pueblo natal.

P: ¿Y a Ud. cómo le funcionaba el colmado?

R: Era algo limitado. Así fue como me empecé a interesar por el café, que por aquel entonces era un negocio del Estado. Lo que yo buscaba era encontrar productos ventajosos para mi colmado. La cosa empezó a ir bien. Mi mujer se las apañaba bastante bien en la tienda mientras yo tostaba el café y hacía el reparto en moto. En 1962 logré ampliar la licencia que tenía hasta entonces y pude vender como mayorista, y años más tarde, en 1970, inicié la «autoventa» por Barcelona. Recorría Barcelona con un coche a modo de tienda, pero además le daba al cliente un servicio completo a nivel de cafetera y molino.

P: El año 1980 fue clave, pues el sector del café quedó liberado.

R: Cierto. Al llegar a la Presidencia Adolfo Suárez cambió todo el panorama. Llegados a ese punto, teníamos que prepararnos para conocer el café en origen y empezar a comprar según la bolsa. Por aquel entonces fueron muchos los competidores que se vieron obligados a cerrar. Nosotros supimos hacer frente a la nueva situación, y en el año 1981 alcanzábamos las mejores cifras de ventas desde nuestro nacimiento.

P: Sin embargo, las multinacionales se incorporaron al mercado español y Uds. lo notaron. ¿Cómo lo afrontaron?

R: A su llegada al mercado español, las multinacionales absorbieron algunas marcas e impusieron su dominio en los medios de comunicación, sobre todo en televisión. A través de ella impusieron un paquete de café molido al vacío, una calidad baja y unos precios que arrasan. Ante tal panorama, vimos en la calidad a nuestro mejor aliado. Con esta meta en el horizonte se pasaron algunos años difíciles y se adoptaron diversas medidas. Había que sacrificar a los clientes de alimentación y potenciar a los de restauración. También nos vimos obligados a recorrer los países cafeteros (India, Brasil, Costa Rica, África) para conocer de cerca los procesos de cultivo, cosecha y elaboración que dan los puros orígenes, para luego poder obtener nosotros las mezclas más interesantes. Por otro lado, no olvidemos que nosotros ofrecemos un servicio y tenemos un estilo de trabajar muy diferente al de las multinacionales en el contacto con el cliente.

P: *En el mercado global del siglo XXI, ¿será posible esta convivencia con los grandes grupos?*

R: Sí. Para explicarles a mis nietos cómo es el mercado en el que nos encontramos, los llevo al acuario. Allí vemos cómo el gran tiburón pasa por delante del pequeño pez y no se inmuta, ni pestañea, le respeta. Nosotros convivimos con tiburones. Ocurre que estos grandes grupos no están interesados en ofrecer el servicio que nosotros ofrecemos. Esta convivencia continuará.

P: *¿Y a sus nietos les dice cómo debe ser un empresario?*

R: Eso ya lo deben llevar en la sangre, porque es algo que ya respiras en casa. En Cataluña, por ejemplo, la mentalidad empresarial y emprendedora está muy arraigada, y no es por casualidad. Mientras que en otras partes de España la mentalidad del funcionario ha imperado, aquí las necesidades vitales nos han llevado a adoptar esta actitud frente a la vida. El hombre se adapta al entorno, y así ha ocurrido en este caso.

6. TEICHENNÉ: Fabricante de bebidas

Razón Social	TEICHENNÉ, S.A.
Sede Social	Ctra. Nacional 340, Km. 1.194,8 43719 – Bellvei del Penedés (Tarragona) Tel.: 977-66.15.03
Sector	Bebidas
Actividad	Elaboración de licores, vino de aguja y zumos
Facturación año 98	1.500 millones de pesetas
Año de fundación	1898
Persona entrevistada	Joan Teichenné Canals / Administrador

Entrevista

P: Siempre se ha dicho que una crisis puede resultar una oportunidad si se gestiona bien. No sé si éste puede ser un claro ejemplo de ello; lo que sí es cierto es que la familia Teichenné, de origen francés, le debe algo a las plagas que acecharon a los viñedos galos en los años 50. El padre del actual propietario de la empresa se dedicaba al negocio del vino. Era un enólogo que trabajaba para una compañía del sur de Francia y que, a raíz de la filoxera, tuvo que venir a España a comprar producto. Viajó en innumerables ocasiones desde Francia a la comarca tarraconense del el Penedès, hasta que finalmente se instaló en la población de l'Arboç. Allí trabajó para sindicatos y cooperativas hasta que un día creó una pequeña fábrica de licores, respaldado por un socio capitalista. Era el año 1956. La fábrica fue saliendo hacia

delante, pero es en 1970, coincidiendo con la incorporación de Joan Tei-
chenné a la empresa, cuando Teichenné, S.A. empezó a marcar una clara
línea ascendente.

R: Al morir mi padre, al poco tiempo de entrar yo en la empresa, el socio me vendió sus acciones y me quedé al frente de todo. Mi padre me había transmitido sus conocimientos técnicos, pero en cualquier empresa eso no es suficiente. La parte comercial es fundamental, y en ese terreno yo me supe mover. A la empresa le hacía falta ese olfato comercial que yo aporté.

P: ¿De dónde le viene ese olfato comercial?

R: Es algo innato. Mientras mi padre daba vida a los primeros años de la fábrica en l'Arboç, yo estudiaba Peritaje Agrícola en Barcelona. Pero mis inquietudes me impulsaban a hacer cosas continuamente. Soy un gran aficionado a la fotografía, y me embarqué en el proyecto de una tienda de material fotográfico en Barcelona. Pronto aquello fue adquiriendo dimensiones por encima de las previstas. Hasta aquí todo perfecto, pero llegó el día en que tuve que decidir entre quedarme en Barcelona o ir con mi padre a conducir la empresa de licores. Ante la posibilidad de ver el cierre de la fábrica, me decidí a volver a casa.

P: ¿Qué recuerda de aquellos primeros años en la empresa?

R: Recuerdo las largas conversaciones con mi padre. Soñábamos despiertos e imaginábamos el futuro de la empresa. Él me decía: «Joan, el día que vendamos en Madrid...». Vender en Madrid era como una meta inalcanzable. Y hoy estamos exportando a más de 25 países.

P: ¿Qué es lo que marcó el «boom» de Teichenné?

R: Un momento clave fue la introducción en el mercado de los conocidos «schnapps». Fue esto lo que nos abrió definitivamente las puertas de la exportación. Imagínese, habíamos pasado de un mercado extremadamente local a exportar a países como Grecia o Rusia. Pero no todo fueron los «schnapps». Creo que, a diferencia de otros, nosotros hemos sabido adaptarnos en cada momento a las exigencias del mercado. Fíjese que de los cientos de empresas del sector que podían haber hace el Penedès, hoy sólo quedamos tres o cuatro.

P: *A nivel de empresa, ¿estar alejados de una ciudad como Madrid o Barcelona les priva de algo?*

R: No lo creo. Además, las empresas son un reflejo de las personas que las dirigen, y la calidad de vida de la que disfrutamos nosotros en l'Arboç no la tendríamos en Barcelona. Estoy seguro que, de una u otra manera, esto se refleja en el rendimiento diario.

P: *Dígame un sector de la economía en el que invertir.*

R: En la alimentación, no lo dude. Piense que la gente siempre tendrá que comer y beber. De todas maneras, lo digo porque es el que mejor conozco y en el que me sé desenvolver.

6.7. ZAS: Cadena de tiendas de moda

Razón Social	ZAS
Sede Social	Mallorca, 275 08008 – Barcelona Tel.: 93-215.16.03
Sector	Textil
Actividad	Venta de artículos de moda y complementos
Facturación año 98	400 millones de pesetas
Año de fundación	1978
Persona entrevistada	Pilar Mijangos Pejo / Directora

Entrevista

P: ¿Cómo se inició en el mundo empresarial?

R: Empecé con mi hermano. Éramos jóvenes e íbamos cargados de ideas. Una de ellas surgió del Portobello Market de Londres. Cogimos aquel referente y abrimos un local parecido en Barcelona. Eran una especie de galerías sin barreras, a modo de mercadillo. Corría el año 1971 y la movida hippy seguía con mucha fuerza. Pronto nos convertimos en un punto de encuentro de todo tipo de gente. Nos adelantamos a la competencia y montamos un segundo local de características similares en el centro de Barcelona. Viendo que las cosas no iban mal, nos embarcamos en una nueva aventura: un autocine. En el nuevo proyecto me dejé las ilusiones y casi la vida. Fue muy duro poner en marcha algo que jamás había tenido un precedente en España. Todo aquello me llevó a una saturación, y poco a poco lo fui dejando. Fue en ese alejamiento cuando empezó a ver la luz lo que hoy es ZAS.

P: Parece que arrancó con fuerza.

R: Yo me podía haber apalancado en mi casa, pero tenía demasiadas inquietudes. Hay quienes se conforman con lo que les es cómodo y quienes aspiran a otros logros. El género humano tiene una gran variedad. Llegar a ser una empresaria próspera no ha sido nada fácil. Yo he hecho varias veces la «mili», y no es verdad que ahora sea más difícil que antes abrir una empresa. A mi nadie me ayudó, no heredé dinero ni apellidos.

P: ¿Y cómo se las arregló para empezar?

R: Tras mis primeras experiencias laborales, decidí dedicarme a la moda. Era un mundo con el que había estado en contacto desde siempre. Lo primero que hice fue ir a trabajar al sur de España, al lado de un amigo que llevaba mucho tiempo en el sector. Allí aprendí muchas cosas, y cogí las ideas que creí que podrían funcionar en Barcelona. Empecé con una tienda de 30 metros cuadrados y pasé rápidamente a otra de 300 metros.

P: ¿Cuáles fueron las razones del éxito?

R: Se trataba de un nuevo concepto de tienda. Se hacía llegar el producto al público, no al revés. Hasta entonces, la gente entraba en las tiendas siendo recibida por una voz que le decía «Buenos días, ¿qué desea?». Yo cambié ese concepto de tienda. Poniendo el producto al alcance de la mano de la persona, ésta podía desarrollar libremente su personalidad y nosotros lo que hacíamos era simplemente asesorar.

P: Hoy todas las tiendas han aplicado este concepto. ¿Ha tenido Ud. que buscar un nuevo elemento diferenciador?

R: Nuestras tiendas ofrecen una mezcla de la que nadie dispone. Hoy en día la mayoría de las tiendas son de una sola marca, y el resto ofrecen un número reducido de marcas. Nosotros, en cambio, tenemos hasta 100 proveedores distintos. A pesar de ello, nuestras tiendas no parecen un bazar, sino que siguen una línea.

P: Una vez logrado el éxito, ¿qué metas profesionales se plantea?

R: Lo único que podría hacer es absorber a pequeñas tiendas. También puede ocurrir que un pez más grande me absorba a mí. Todo es tan cambiante que no se puede predecir nada ni plantearse cosas a largo plazo. Lo que sí tengo claro es que quiero tenerlo todo bajo mi control. Varias veces me han ofrecido abrir tiendas fuera de mi ciudad, y me he negado. Mi único socio hasta ahora han sido los bancos.

P: ¿Qué características debe reunir un buen empresario?

R: Mi escuela fue buscarme la vida. Yo no estudié en la Universidad. Sí creo que uno de los ingredientes es la teoría, pero no es el único ni mucho menos el más importante. Además, hace falta tener chispa y olfato. De ambos he tenido bastante, y he tenido que emplearlos a fondo para conseguir rodearme de un equipo que me aporte lo primero.

P: ¿Qué balance hace de su vida profesional?

R: Muy positiva. Siempre he creído que todo el esfuerzo que hacía valía la pena. Me he encontrado sola muchas veces, hay momentos delicados, pero siempre ha habido una zanahoria enfrente que me hacía seguir. Y luego, cuando llegan los resultados, es fantástico. Yo he luchado siempre por tener un trabajo independiente, por no tener jefe, y ése ha sido mi verdadero gran éxito.

Anexo:

Análisis de un sector:
Fabricantes y distribuidores

1. El sector de la alimentación y su dinamismo

La cultura del trato diario

Es la base de la relación que existe entre vendedores (distribuidores) y compradores (consumidores); el encuentro cotidiano es el que aún hoy marca la diferencia en el trato directo, y así sucede también en el comercio en general, sin embargo es en la actividad relacionada con la alimentación, donde se da con más frecuencia. Un buen ejemplo de ello lo tenemos en los «Mercados Municipales», en los que se desarrolla una relación basada en la confianza de la persona que está al frente del negocio, «dando la cara todos los días», tratando de ser competitivo en su oferta, cuidando la calidad de lo que vende, que presenta con su mejor sonrisa para poder seguir conservando la confianza del cliente (algo tan sencillo pero clave para cualquier negocio), ofreciendo un «trato individual y diferenciado», o lo que es lo mismo, haciendo del acto de la venta algo más personalizado y humano.

Sin embargo, la propia evolución de la sociedad y la misma dinámica del mercado, ahora ya global, ha generado «nuevas formas de entender esas relaciones cotidianas», que se han transformado en impersonales y exclusivamente basadas en una transacción puramente mercantil de oferta y demanda, y se ha pasado de un casi único formato a una diversidad de propuestas, que se han generalizado a lo largo y ancho de todo el país, con una penetración de multinacionales francesas, alemanas, holandesas, etc., que se han ido introduciendo y desarrollando su especialización, que va desde el típico *hard-discount* hasta el hipermercado, pasando por el supermercado y sin olvidar el *cash and carry*.

El papel del fabricante en esta «cultura del trato diario» también ha cambiado, y la influencia de las multinacionales es determinante; se han hecho con la mayoría de los sectores, en los que son líderes indiscutibles, con alguna excepción digna de mención pero poco más. Al fabricante le corresponde investigar y desarrollar nuevos productos que motiven al consumidor a seguir consumiendo. El fabricante tiene además que comunicar las bondades y diferencias de sus productos, y para ello emplea principalmente los medios masivos de comunicación que, conjuntamente con las actividades promocionales en el punto de venta y la exposición de sus productos en los lineales de los establecimientos, tratan de ganarse el favor de ser los elegidos de entre la amplia oferta existente.

Por el contrario, el fabricante no tiene la oportunidad de establecer un trato directo con su cliente, como sí realiza el distribuidor, y esta «pequeña diferencia» es la base de toda la complejidad que rodea las relaciones entre fabricantes y distribuidores, que se hace cada día más difícil para todos y que tiene como principal beneficiario al consumidor final de productos y servicios. Es, por tanto, el momento de ponerse de acuerdo y tratar de llegar al objetivo común en las mejores condiciones: las reglas de juego han cambiado, y van a seguir ya para siempre en constante cambio, al que se tienen que adaptar sin excepción todos aquellos que forman parte del mercado.

El entorno en el que suceden las cosas da la medida de la necesidad de adaptación al dinamismo, cada vez mayor y a la vez más efímero, en el que la creatividad en todas las actividades es cada vez más imprescindible, y no se debe olvidar que la estrategia para poder diferenciarse está en las personas capaces de desarrollar nuevos conceptos adecuados a cada circunstancia.

El dinamismo creativo no puede cesar; es el motor que hace posible que las mismas cosas parezcan otras y sean capaces de generar nuevas ilusiones en la cotidianidad de las pequeñas cosas de cada día. Por lo menos, que se pueda mantener la inocua ilusión de recibir información y atención para poder alimentarse de la mejor forma y en base a ello decidir. De otra forma resulta muy difícil soportar la presión constante a la que los ciudadanos estamos sometidos por una sociedad dominada por una oferta al consumo permanente. Es esencial que aquellos que por su actividad tienen la oportunidad de estar en contacto con las personas, sepan encontrar nuevas formas menos agresivas de comunicación, y sobre todo más creativas en su planteamiento y desarrollo, y el consumidor sabrá reconocer la diferencia y valorarla.

El dinamismo en las formas es algo más que agresividad en el precio y oferta permanente: se trata de buscar nuevos valores intangibles, y ser capaces de transformarlos en productos y servicios para llegar a las personas que puedan valorarlos y reconocerlos. En eso consiste la verdadera diferenciación competitiva de una organización, a lo que podemos llamar «LA CULTURA DEL TRATO DIARIO».

2. El fabricante en horas bajas

Los fabricantes fueron los reyes del mercado desde los años 50 hasta que la distribución tomó el poder, a partir de los años 70, en los que se inició una nueva etapa entre ambos sectores que nos lleva al momento actual, en el que tanto el fabricante como el distribuidor tienen necesariamente que estar volcados y dedicados al consumidor-usuario-cliente (CUC), que es el que tiene la última palabra en lo que al consumo se refiere. Empieza por tanto una nueva forma de entender las relaciones para dedicar los esfuerzos a complacer al «deseado cliente»: ese y no otro es el objetivo principal de las relaciones que, forzosamente, tienen que mantener aquellos que son productores y los que ponen a los mismos en contacto directo con el que los consume o usa en forma de productos o servicios. Pero nos gustaría profundizar algo más en saber porqué consideramos que el fabricante/productor se encuentra en horas bajas.

Los interlocutores han cambiado

Estamos en un mercado de oferta y no de demanda, la competencia es global y exige un mínimo de volumen para poder ser competitivo (lo que se da en llamar una «masa crítica suficiente»), pero por encima de todo estamos en un mercado en el que manda el consumidor, que es cada día más exigente, que está mejor informado y al que le sobra de todo. Esa es la diferencia sustancial en la relación con el cliente/consumidor.

La actual situación hace que el fabricante tenga que estar en permanente evolución. Sus competidores no son los que eran en las épocas doradas, y a los pequeños e incluso artesanos de ayer los han reemplazado las multinacionales de hoy, dispuestas a hacerse con el mercado (la mayoría ya lo han logrado) a cualquier precio, para lo que dedican grandes inversiones a la investigación y creación de nuevos productos, y que hacen de la publicidad su mejor herramienta para lograr su posicionamiento en la mente del consumidor. ¿Qué queda para un fabricante que no pueda competir con las mismas armas? A todo ello debemos añadir sus posibilidades a la hora de negociar con lo que se ha dado en llamar la «gran distribución», que no son otros que aquellos que tienen una participación significativa de puntos de venta en el mercado y que están en condiciones de conseguir los mejores precios en cualquier momento y de cualquier productor, es decir, que imponen su ley, como en otros momentos ya muy lejanos sucedió a *sensu* contrario.

No podemos olvidar que desde hace bastantes años las multinacionales han ido adquiriendo la mayoría de las empresas, y pocas son las que aún hoy siguen su camino en solitario sin haber conseguido el tamaño necesario para poder ser competitivas en todos los campos (es decir, a nivel tecnológico, estratégico y comercial).

Considerar que los productores/fabricantes están en un momento de horas bajas es ver la realidad de la situación, que por un lado les obliga a competir con las multinacionales de su propio sector y por otro lado tienen que enfrentarse a una distribución que todavía está en plena transformación, con una concentración acelerada en su última fase y con un protagonismo de las multinacionales más que preocupante en su dominio. Y, finalmente, tienen la gran tarea de buscar la forma de poder llegar al consumidor final, que se sabe clave y objetivo deseado de todos.

En lo que a los fabricantes se refiere se ha llegado a una concentración de casi todos los sectores, de forma que resulta bastante complicado poder mantenerse con una participación mínima de mercado, salvo que se tenga un producto muy diferenciado y una estructura ligera que permita el desarrollo a través de otros mercados, algo que la globalidad hace posible sin necesidad de plantearse grandes estructuras comerciales. Si algo importante ha aportado la tecnología a las relaciones comerciales es la posibilidad de penetrar en otros mercados sin necesidad de invertir demasiado tiempo: siempre que se tenga un producto competitivo es posible encontrar una oportunidad para el mismo.

Las empresas (salvo las muy limitadas a la región) ya no puede dejar de pensar en el mercado como una posibilidad para su crecimiento y viceversa, es decir, aceptar que la globalidad significa que todo el mercado es de todos y que ya no existen fronteras, sino tan sólo la capacidad de cada empresa para adaptarse a los nuevos tiempos y ser innovadores y creativos de una manera constante en la elaboración de los productos en los que se trabaje, y entender que el factor humano es decisivo en ese proceso de creación y que en ello radica la gran diferencia de las organizaciones punteras. El resto es cosa de la técnica y otros pequeños detalles.

La globalidad significa también una gran oportunidad para otro tipo de empresas que surgirán como consecuencia de la misma, que tienen en la transformación técnica que se ha producido el mejor aliado para dar salida, y permitir nuevos modelos de organizaciones de tamaño reducido en sus planteamientos estructurales, con contenidos importantes en el campo del conocimiento. Es una nueva forma de creación de actividades mucho más personales que permite trabajar en el propio domicilio y también la colaboración en red de distintos profesionales en países diferentes, que, unidos por la técnica, pueden desarrollar conjuntamente unos productos y servicios que la sociedad demanda y seguirá necesitando en la transformación constante a la que vamos a tener que acostumbrarnos a vivir en todos los sentidos. Pensar de otra manera es cerrar los ojos a la realidad en la que ya estamos inmersos, formando parte de nuestra vida cotidiana, mal que les pese a algunos, que siguen añorando aquellos tiempos en los que las cosas las decidían sólo unos pocos y las consecuencias eran para el resto.

Nuestra vida hoy la decide en gran manera la tecnología, que nos permite viajar de una lado al otro del mundo real o virtualmente, que nos enseña qué pasa y dónde en fracciones de segundo, lo que nos permite acumular información (informarse es otra cosa) en todo tipo de soportes, entre los que resulta complejo seleccionar ¡y no digamos acertar! Inhibirse sería suicida y supondría quedarse fuera de mercado o descatalogado (que es todavía peor) en un plazo mínimo.

Con este panorama, ¿cabe pensar que alguna actividad pueda no verse afectada por el entorno? Pocas, y seguramente si existen habrán incorporado alguna innovación o adaptación que les haya permitido sobrevivir en el teatro de la nueva estructura global como escenario único para actuar.

Las boutiques de pan

¡Qué bien y con qué anticipación supo el sector de la panadería adaptarse a las nuevas circunstancias, al convertir sus tradicionales tiendas y su artesanal trabajo diario! ¡Qué capacidad creativa para convertir algo tan monótono como la elaboración de pan en la creación de un concepto distinto! Han desarrollado desde su presentación hasta su surtido, con la incorporación de nuevos y variados servicios, que han hecho que un sector que parecía condenado a desaparecer haya resurgido y reforzado su posicionamiento como sector, a la vez que ha conquistado nuevos clientes de los que se encontraban lejos en su concepción del negocio en la fórmula tradicional de panadería exclusiva de pan, pasando a lo que se entiende como «boutique». Este ejemplo nos sirve para demostrar la importancia que tiene la creatividad en el mundo de los negocios y lo necesario que resulta saber evolucionar a tiempo, para evitar que los acontecimientos y las exigencias sean los que nos dejen fuera del guión de esta película en la que se ha convertido el mercado global.

3. El Distribuidor en plena transformación

La distribución en la alimentación es el sector que goza de más popularidad, y la base está en su origen. Los Caprabos y Mercadona de hoy son los «ultramarinos» de los años 50, que han pasado de ser el «tendero» o «botiguer» a la nueva forma de gran oferta de productos, promociones permanentes, precios agresivos y un número cada vez mayor de servicios a través de regalos y tarjeta cliente, con el objetivo prioritario de fidelizar a una clientela cada día menos fiel y más exigente. En los años en que el distribuidor mantenía esa relación de confianza con sus vecinos, poco podía imaginarse que, transcurridos los años, dedicaría grandes esfuerzos y recursos a tratar de conservar a sus clientes. Han tenido que pasar cerca de 50 años y algunos cambios en la evolución del negocio, que ha ido asistiendo a una transformación tanto en el continente como en el contenido; todo ello ha dado origen a la situación actual, entre la que tenemos una variedad de formatos que van desde la fórmula:

- Hard Discount
- Supermercados
- Hipermercados (Grandes Superficies)
- Mini-Hipers (Medianas Superficies)
- Cash & Carry

Hard Discount

Se trata de una oferta permanente de precio muy agresivo, surtido limitado, exento de servicios, en el que predominan las segundas marcas o marca propia o, por llamarlo de otra forma, con escasa participación de marcas líderes. La exposición de los productos es otra de las características de este tipo de establecimiento, que se parece más a un almacén, con cajas completas de productos a modo de *self service*. Este modelo tiene ya una implantación considerable en España (alrededor del 12% del mercado), y que se estima crecerá con el desembarco de los líderes alemanes, que son los verdaderos especialistas del HARD DISCOUNT, a pesar de que en nuestro mercado el líder indiscutible es la Cadena DIA, pertenenciente al grupo Promodes.

Supermercados

Los supermercados de hoy son el equivalente a la tienda de barrio de toda la vida «ultramarinos o colmado» que se ha tenido que ir adaptando a las circunstancias y transformando su «continente y contenido» para ser competitivo y estar en condiciones de hacer frente a la avalancha de empresas extranjeras que han ido penetrando en el mercado. La reacción de los empresarios del sector ha sido espectacular, y así hemos visto como se han ido transformando las tiendas y, por supuesto, la estrategia del negocio. Sin embargo, no es precisamente este segmento en el que las firmas internacionales hayan podido implantarse con gran protagonismo, salvo en los casos de compras integrales de los negocios (es decir, adquiriendo la empresa). Este tipo de superficie es todavía el que conserva mayor número de empresas autóctonas, que han entendido perfectamente que en el volumen de negocio está la clave del futuro y siguen desarrollando su política de crecimiento. Algunos de los ejemplos los tenemos en Eroski, Mercadona, Caprabo, Condis, Corte Inglés, Coaliment, Ahorramas, y un largo etc.

Hipermercados (Grandes Superficies)

Desde 1973, en que Carrefour (hoy Pryca) llegó a España con su primer punto de venta, han transcurrido ya 25 años, y el líder en este tipo de superficies tiene ya más de 60 tiendas, con una cuota cercana al 35% del mercado, seguido de Continente (Grupo Promodes), Alcampo, Eroski e Hipercor (Corte Inglés) y otros, a bastante distancia hasta más de 200 hipermercados en total.

Se puede afirmar que han sido los hipers, liderados por Pryca, los que han provocado mayor impacto entre los distribuidores, que en una primera fase observan con asombro cómo se abre una brecha en el mercado, se entra en una guerra de precios y se da paso a una dinámica de promociones que rompe todos los esquemas existentes, dando lugar a una nueva forma de negociación con los proveedores, que tratan por todos los medios de mantener un equilibrio en sus condiciones de venta haciendo valer su protagonismo como marca y, sobre todo, su posicionamiento en el mercado en lo que hace referencia al consumidor final.

El camino recorrido desde entonces ha sido largo y no exento de dificultades para los distribuidores españoles, pero el balance final (siempre existen excepciones) ha sido más que positivo, y en estos momentos la distribución española se ha adaptado a las nuevas condiciones del entorno global al que ya pertenecen, y se encuentra en la última fase de concentración inevitable del sector, que está totalmente dominado en el segmento de las grandes superficies por la distribución francesa.

Mini-Hipers (Medianas Superficies)

Está entre el supermercado grande y el hipermercado. Es una variable más en el conjunto, y está en pleno desarrollo y con un futuro todavía por desarrollar. Una vez más, la dificultad está en conseguir ubicaciones adecuadas, que suelen encontrarse en las de nueva construcción y permiten su implantación en los centros urbanos o barrios limítrofes, sin necesidad de salir de los cascos urbanos, como les sucede a las grandes superficies, que precisan muchos metros cuadrados para poder establecerse con el conjunto de productos y servicios que generalmente ofrecen. Esa es la ventaja de esta otra forma de punto de venta, más limitada tanto en productos como en servicios pero suficiente y competitiva como lo demuestra la aceptación que las mismas tienen.

Cash & Carry

Los Cash & Carry también mantienen una participación considerable de mercado, y siguen manteniendo los espacios sencillos y muy funcionales, pues su objetivo principal es la venta en grandes cantidades y precios muy bajos. Sus principales clientes son cafeterías y restaurantes. Este tipo de negocio no está basado en los servicios al cliente ni en una oferta muy extensa: las bebidas son los productos más vendidos. Al igual que en el resto, los grupos multinacionales también han entrado, y es «Punto-cash» (una vez más del grupo Promodes), el que ha penetrado con más fuerza en este segmento.

Supercor

Recientemente y como consecuencia de un acuerdo entre Corte Inglés y Repsol ha nacido el «Supercor» (tienda y gasolinera), que tiene su antecedente en «Seven Eleven». El objetivo inicial son 200 puntos de venta, y su principal característica es que permanecen abiertos las 24 horas del día. Tienen un surtido reducido pero suficiente para dar un buen servicio, y es de suponer que los precios no sean de los más agresivos, ya que es una venta ocasional. Sin embargo, con el tiempo irá cogiendo más fuerza y con toda seguridad se adaptará en oferta y servicio si el consumidor responde.

No puede extrañarnos que este sector esté considerado el más dinámico del mercado, ya que, como se ha comentado anteriormente, el trato habitual hace que forme parte de la cultura de cada día. Es una de las actividades más cotidianas que más del 50% de la población adulta realiza, y a pesar de que han cambiado los hábitos de relación directa y personal por la transformación de la propia actividad, ha nacido una nueva necesidad: la de fidelizar al cliente-consumidor-usuario, que traerá como consecuencia una nueva forma de relacionarse (más virtual que real) que aportará una comunicación mucho más viva y dinámica.

Teletienda / Internet

El comercio de la alimentación no puede ignorar las nuevas vías que se han creado: primero fueron las teletiendas con «La tienda en casa», con el que Antena 3 y El Corte Inglés se han implantado con una buena oferta genérica de productos y un buen servicio.

Internet ya ha desplegado todo su poder de penetración, y sólo es cuestión de tiempo (el necesario para familiarizarse con el sistema) y de que se instalen algunos ordenadores más en los domicilios más tradicionales para que se generalice el uso de este sistema. Actualmente no se concibe que una pareja que equipa su vivienda no tenga como mínimo un ordenador personal (y en bastantes casos más de uno) o un ordenador portátil. El ordenador ha pasado a ser un electrodoméstico necesario para el funcionamiento diario de la pareja o de la persona individual. Por lo tanto, es lógico que el uso de Internet para temas domésticos esté más que asegurado.

4. Las Centrales de Compras: su futuro

Las Centrales de Compras han jugado un papel fundamental en el desarrollo del sector de la alimentación: son el eslabón entre fabricantes y distribuidores, y una de sus principales funciones (sobre todo al principio) era la de «negociadores» de condiciones de compras, o lo que se ha dado en llamar «plantillas», es decir, acuerdos de compras en base a determinados requisitos que en las mismas se estipulaban referentes a precios de tarifa, descuentos en facturas, promociones de productos, descuentos de pronto pago, pago centralizado, rappeles por facturación y volúmenes, aportaciones publicitarias, exclusividad, logística etc.

Las Centrales de Compras han sido un interlocutor para los fabricantes, que han visto cómo su relación directa con la distribución ha terminado siendo muy limitada, y son las Centrales de Compras las que han sabido generar un ámbito de negociación cada vez con más contenidos y que en estos momentos es admitido por todas las partes como la forma más eficaz de negociación global entre fabricantes y distribuidores, que mantienen sus contactos debido al interés de ambos en lograr un mayor posicionamiento de los productos, en la promoción y dinamización de los mismos y en todos los aspectos relacionados con la implementación en los puntos de venta.

Es necesario diferenciar a la hora de hablar de las Centrales de Compras, y analizar la evolución que las mismas han tenido a lo largo de todos estos años, valorando especialmente los últimos quince años, que han sido los definitivos para que dos centrales logren posicionarse a gran distancia del resto: nos estamos refiriendo a EUROMADI e IFA. Entre las dos ocupan más del 40% del mercado, con un total de más de 300 asociados. Sin embargo, entre las dos principales centrales existe una gran diferencia a la hora de tratar de valorar sus aportaciones al complejo mundo de la negociación, y personalmente opino que lo que Jaime Rodríguez, Consejero Delegado de EUROMADI, ha conseguido en el tiempo récord de quince años es digno de consideración, y da la medida de la capacidad y de la visión de este profesional, empresario y gestor, que ha sabido formar un equipo humano para desarrollar un proyecto en el que siempre ha creído y que sólo él y algunos estábamos seguros lograría.

Euromadi

Esa realidad que es hoy Euromadi, ha estado creada y planificada en cada uno de sus elementos. Jaime Rodríguez, ha tenido el timing perfecto para dotar a la organización de todo un conjunto de servicios innovadores, adaptados a la última tecnología aplicable a cada circunstancia, que ha desarrollado paralelamente a la credibilidad en la gestión y la calidad en las aplicaciones. Como no podía ser de otra forma, Euromadi está integrada y forma parte activa de la organización Europea EMD, lo que le permite hoy estar en las mejores condiciones competitivas para afrontar el complejo y diverso mercado global con todas las desventajas competitivas que ello supone para sus asociados.

Otro de los aspectos en los que esta central de compras ha marcado también diferencias ha sido en lo relativo a la formación permanente: sus exigencias de calidad e innovación han hecho posible que en sólo 3 años se hayan logrado implementar Planes de Formación acordes con las exigencias de lograr aportar conocimientos y metodología para afrontar el compromiso de poder ofrecer lo mejor y más adecuado para el diverso colectivo que forma Euromadi.

El futuro de las centrales de compra

Mucho se ha comentado sobre el futuro de las centrales de compra y sus posibilidades en un entorno tan concentrado como el que se está organizando, donde parece que en el plazo de un par de años, es decir, en el año 2000, no faltará ninguna organización internacional, y que el tiempo que resta va a estar presidido por la compra de aquellas empresas que todavía quedan con cara y ojos, y aquellos que no tomen la decisión de vender sufrirán mucho para poder competir con los grandes grupos, y acabarán vendiendo en un futuro no muy lejano. Esa es la opinión generalizada que existe, con la que algunos no estamos de acuerdo. Será complejo seguir «vivo» en el mercado pero bastantes van a ser capaces de hacerlo, y la diversidad seguirá siendo una característica mayor todavía que la actual. Sin embargo, algunos aspectos sí será necesario tenerlos en cuenta y adaptarlos a la nueva situación y, por descontado, nuevas fórmulas aflorarán y serán viables.

Es un momento muy idóneo para los nuevos emprendedores que con toda seguridad surgirán en la nueva fisonomía, que definirá la adaptación al nuevo mercado global. Dicho mercado global tendrá unas características muy distintas a las anteriores en cuanto a volumen se refiere, y conservará comportamientos que necesariamente van a convivir con los que aparezcan, que con toda seguridad darán paso a otro tipo de comportamientos por parte de los principales protagonistas del mercado que son, como consecuencia de la globalidad, muchos más de los que eran, pero a los que hay que tratar de una manera mucho más personalizada y menos genérica de lo que habitualmente se hacía. Y esto no es exclusivo de un país, un mercado o un sector: es aplicable a todas las situaciones en las que se dé una relación de oferta y compra (lo que tradicionalmente entendemos como transacción comercial en forma de producto o servicio).

¿Qué porvenir les espera en el nuevo escenario a las Centrales de Compra? Como siempre, todo depende de la capacidad de adaptación a las nuevas circunstancias, y muy especialmente de las posibilidades de desarrollar contenidos y conceptos innovadores por parte de la Central de Compras. Desde luego, si se tiene un concepto limitado del papel que tienen este tipo de organizaciones, el futuro difícilmente podrá vislumbrarse. Pero en cambio, si se tiene la visión necesaria, se llegará a la conclusión de que las posibilidades de una Central de Compras en unos momentos como los que se presentan son mejores que nunca, sin que la limitación de colaboración esté en la cifra de facturación. Bien al contrario, esa cifra crea otras posibilidades impensables en temas y proyectos de otra dimensión sin más limitación que las que cada cual se ponga. El mercado global es precisamente una oportunidad constante, pero puede convertirse en una limitación si no se saben ver las oportunidades que el mismo pone al alcance de las organizaciones.

Mucho han tenido que ver en el desarrollo de los distribuidores las centrales de compra. Algunas, más innovadoras que otras, han sabido anticiparse a las necesidades que genera el nuevo entorno tanto en los aspectos técnicos como en los estratégicos, que resultarán definitivos para poder gestionar las organizaciones en un mercado en constante cambio en el que únicamente las empresas con capacidad de iniciativa creadora podrán permanecer y competir.

La capacitación como estrategia

Sin embargo, el nuevo escenario que nacerá de la necesaria concentración hará imprescindible una nueva actitud en lo que a los recursos humanos se refiere, que acabará convirtiéndose en el factor clave que permitirá o limitará el futuro de la empresa. Por tanto, resulta inevitable realizar el ejercicio de «adecuar los equipos» para poder reestructurar las organizaciones al nivel más sensible que la misma posee, que no es otro que el de prescindir de aquellas personas que en «otros momentos» han sido decisivas para el desarrollo de la misma, y paralelamente tomar la decisión de incorporar otros perfiles de profesionales acordes a las necesidades que tenga la organización, de forma que pueda fortalecerse la estructura básica tanto a nivel de conocimientos como de capacitación.

El mercado global es, en su conjunto, un todo de lo que hasta hace escaso tiempo denominábamos mercados. Pasar del plural al singular no ha sido tarea fácil ni mucho menos ha finalizado; bien al contrario, se «deberá ir haciendo» a medida que cada cual cumpla con su función y sepa adaptarse a las «nuevas formas», ya que el éxito del invento está pensado principalmente para crear una dinámica comercial adecuada a toda la transformación que han aportado la tecnología y el conocimiento. Sin «formas» no será posible la ALDEA GLOBAL.

5. El consumidor, dueño y señor de la situación

Consumidor / Usuario / Cliente (CUC)

Conectar con el consumidor y usuario será el principal objetivo de cualquier tipo de empresa, ya sea aquí, París, Londres e incluso Hong-Kong. No quedará un rincón en el que la persona con capacidad de comprar o de usar productos y servicios (el CUC) pueda esconderse e inhibirse de la avalancha que se le viene encima, y algunas muestras ya las estamos apreciando.

¿Cuánto tiempo puede pasar un ciudadano normal sin recibir un impacto que intente estimularle a comprar o usar algo? Nadie se salva, hay para todas las edades y bolsillos y, por supuesto, para todos los gustos. La variedad es la norma, y la regla es la abundancia, el colorido, ya sea básico o sofisticado, lo mismo da. El caso es poder ofrecer opciones que motiven y exciten el «instinto del CUC». Las grandes multinacionales lo tienen claro: no puede quedar un centímetro del mercado en el que su producto no esté presente. Es necesario insistir por tierra, mar y aire de forma que nadie «ignore» tal producto o servicio, y de ese otro aspecto ya se ocupan los grandes y menos grandes creativos para tratar de «posicionarse en la mente del sufrido CUC». Pero no sólo las primeras marcas están por la labor de conquistar (o mejor dicho seducir) a los compradores potenciales.

La globalización representa, entre otras muchas cosas, la obligación de pensar en el mercado mundial, de manera que pocos son los que no tienen la pretensión de conquistar al mundo y tratan de crear un lenguaje común que les permita unificar conceptos y estímulos globales, olvidando que es preciso pensar individualmente en cada uno de los que se desea convencer.

Los hábitos son el enemigo a vencer

¡Menudo tema complejo! ¿Sabemos acaso si los hábitos son conscientes o inconscientes? De todo hay, y son tantos como personas, y cada cual tiene unos cuantos más o menos arraigados, ya que son parte básica del comportamiento humano. La costumbre es ley, y los hábitos son precisamente eso, leyes particulares y privadas de cada persona, que suele tener «hábitos específicos para cada situación», que algunas veces se confunden con las manías por ser repetitivos y frecuentes. La mejor referencia está en el «hábito generalizado del trabajo diario», del que difícilmente nos podemos liberar a lo largo de toda la existencia, de la misma forma que mantenemos las obligaciones y compromisos y también las aficiones por determinadas actividades y no por otras.

De igual manera queremos a unas determinadas personas y sólo sentimos aprecio o indiferencia por el resto, y nos dedicamos a cuidar a los que queremos. ¿Existen los hábitos afectivos o emocionales? Descuidamos a los que ignoramos, lo que no deja de ser también una costumbre o hábito que se practica en todo el planeta, y no parece que haya evolucionado demasiado con la transformación tecnológica que tanto ha transformado la forma de vivir y de hacer, la cual sí ha logrado cambiar los hábitos. ¡Ese es el verdadero secreto: lograr cambiar un hábito por otro!

Estamos en el campo de la «manipulación» en el sentido lúdico de la palabra, y de eso se trata: de «manipular los deseos básicos», hacerlos manejables para utilizarlos «convenciendo» de la bondad o la ventaja que un determinado producto o servicio aportará a la vida del sufrido CUC, que estará cada día más sometido a la presión en forma de ilusión o fantasía creativa que intentará conquistar y convencer a la mayoría posible.

El consumidor efímero

Una de las formas que tiene el CUC para protegerse de tanto «acoso creativo» es sencillamente la «infidelidad», es decir, te uso o te compro pero sólo hoy y ahora, y mañana ya decidiré.... Éste y no otro es el tema clave para tratar de llegar al CUC: cómo lograr la «fidelidad constante». El mayor presupuesto de las organizaciones se dedica ya en estos momentos a este apartado, sin grandes éxitos que permitan pensar que se está haciendo de la mejor forma.

Fidelizar al CUC

Grandes planes y campañas masivas se han puesto en marcha desde hace algunos años en todo el mundo en un intento desesperado de conseguir retener a los consumidores de productos y servicios. Pocas son las agencias de publicidad que no han desarrollado nuevos departamentos de marketing directo como la forma más eficaz para tratar de fidelizar, a la vez que han nacido nuevos conceptos de comunicación y creatividad que permitan dirigir los «dardos de la conquista» con criterios innovadores y propuestas cada vez más sofisticadas y, en algunos casos, con buen gusto.

Diferenciar al CUC

Se trata de personalizar la propuesta que en forma de oferta, regalo, invitación o cualquier forma de las que el marketing relacional ha sabido desarrollar, permite llegar a quien se pretende. La diferenciación es una fórmula muy costosa, tanto en el contenido como en la forma, que precisa una selección y elaboración compleja, aunque en el fondo es una personalización bastante limitada, ya que la auténtica personalización sería la que se realizara de forma exclusiva. Este puesto es impensable, salvo en casos muy artesanales y, por el mismo motivo, limitadísimos y poco rentables en su ejecución: estaríamos en el supuesto de lo que a mí me gusta llamar el «cuidado o mimo», la cultura del detalle individualizado, el trato personalizado. Se trata, precisamente, de que la persona en cuestión se sienta «única», «Reina o Rey» en esa ocasión, que viva su oportunidad (los famosos momentos de gloria que decía Warhol, que toda persona debería tener), momentos de exclusividad y atención.

Algunas organizaciones ya están en ello, y el resto están en la tarea de «más de lo mismo» o del socorrido concepto de las tres *b* (bueno, bonito, barato) tan sobado por el uso indiscriminado que se ha venido realizando, que ha terminado con una saturación de la que será difícil puedan salir aquellos que no son capaces de pararse a pensar que algunas personas piensan algo más de lo que muchos creen, y tiene perfectamente claro que en este juego existen unas reglas y sólo así es posible jugar y ganar.

Lo otro, la «ventajilla» del «espabilado de turno» tiene los días contados, o un nicho muy claro de mercado en el que el juego es con gigantes aventajados de la práctica de la «ventajilla», a los que el CUC ya ha puesto en su sitio, y a futuro podrá sacarle provecho por el «mal hacer», y le pedirá explicaciones cuando no actúe en la forma correspondiente, y su castigo no será otro que ignorarlo o elegir al que está actuando de la manera adecuada y con los criterios que la nueva situación exige.

Tarjeta cliente

Es una de las últimas modalidades que se ha implantado para tratar de conseguir el favor del cliente de manera continuada. A tal fin, se premia el uso de la misma de diferentes formas, básicamente con puntos que se canjean por cheques para gastar en el mismo establecimiento: el CUC no recibe dinero efectivo, sino un determinado importe para poder comprar gratis por dicho importe. Además, mensualmente también se percibe un porcentaje de las compras realizadas al pasar de una determinada cantidad.

Las tiendas de alimentación han sido las pioneras en este tipo de acciones, que tratan de rentabilizar con las típicas ofertas, que son cada día más numerosas y agresivas de manera que se encadenan unas con otras. Como sea que todos (con la única excepción de MERCADONA) juegan a la tarjeta conjuntamente con la promoción y la oferta, todo a la vez y de forma continuada, el consumidor está tan habituado que ya no es capaz de distinguir en qué momento y qué producto no está en oferta. Puede suceder que una determinada marca no esté en promoción, pero con seguridad habrá un producto equivalente para aquel que busca exclusivamente precio.

Mercadona

Es la única empresa de alimentación en el sector de la distribución que no realiza ni ofertas ni promociones. Desde 1990 tiene establecido un sistema que denomina PSB (precios siempre bajos) para ofrecer a sus clientes un nivel de precios bajos y constantes durante todo el año. Realmente el control de precios que se realiza sitúa a esta empresa como la que tiene los precios más competitivos del mercado, es decir, los más bajos.

Cuando se puso en marcha la fórmula algunos pensaron que no podría durar, ya que se consideraba que el CUC lo encontraría monótono. Sin embargo, la práctica de estos años ha demostrado que el sistema funciona, o al menos así lo acredita el incremento de sus ventas y el hecho de que se mantenga la fórmula.

En su momento fue una revolución tanto para el consumidor como para el proveedor, que vio cómo se le alteraban sus esquemas tradicionales en cuanto a la negociación. Con el tiempo se ha demostrado que Juan Roig tenía claro lo que quería hacer y logró salirse con la suya (y sigue).

Librerías

Es otro de los sectores que ha implantado la tarjeta, a la que suelen aplicar entre un 5 y 10% de descuento a las compras que realizan los portadores de tarjeta. Otros, como FNAC, ofrecen noches especiales dedicadas exclusivamente a sus clientes, en las que se puede comprar sin aglomeraciones, tomando una copa y con acompañamiento musical. Esta cadena francesa tiene además unos determinados productos con precios reducidos de manera constante; siempre se puede encontrar algo con «precio especial».

El Corte Inglés

Fue pionero en la tarjeta de crédito, y ello le ha servido para poder fidelizar a más de tres millones de clientes que tiene cautivos precisamente por la fórmula de pago aplazado. La política de captación de usuarios de la tarjeta cliente es permanente; así se puede constatar por el número de personas que la ofrecen cada día en cualquiera de las tiendas. Sorprende, sin embargo, que la primera empresa del país no haya desarrollado una política de marketing personalizado más intensa, sobre todo por la cantidad de productos y servicios paralelos de los que dispone. Parece que se ha centrado más en la comunicación en los puntos de venta y en el marketing directo acompañado de algunos actos de dinamización, principalmente en el tema de libros, fiestas señaladas o eventos promocionales como «el mes de ...» o similares.

Televisión y otros medios de comunicación

El poder que tienen las televisiones, públicas o privadas, no es comparable con ningún otro medio de comunicación. Pocos hogares pueden presumir de no tener por lo menos un aparato de televisión (algunos pueden tener un mínimo de dos o tres), con los consiguientes en las segundas viviendas por aquello de no desconectar cuando uno sale fuera para cambiar de aires, que no del hábito televisivo.

La oferta actual entre televisiones públicas y privadas es de tal magnitud que la primera dificultad es encontrar algún programa que realmente merezca la pena. No se puede decir que haya para todos los gustos, ya que los productos son tan parecidos que resulta complicado saber de qué cadena se trata; pero para eso están los logos que las identifican, el resto ya es cuestión del tiempo del que se disponga o lo aburrido que uno esté. Lo que parece que no tiene solución es que cada día existan más posibilidades en cuanto a número de canales y horas efectivas de programación.

Conservemos la esperanza de que la televisión pública sea capaz de hacer lo que le corresponde como tal, y dedique los presupuestos a temas relacionados más con la «cultura real» y la divulgación e información y deje los millonarios programas de «narcisismo y exhibicionismo cutre», aptos para el atontamiento generalizado, para los que tienen clientes que están dispuestos a pagar por ese producto. Las cosas bien hechas nos gustan a todos: un buen concierto, un debate interesante, un concurso con contenidos, cine, teatro, y deporte son temas que dan mucho juego sin tener que recurrir a los «eventos especiales», que no es necesario identificar ya que cada cadena tiene el suyo (y algunas bastantes más). «De todo y para todos», dice la televisión pública: ¿para cuándo?

Radio

Es un medio que cuenta con 24 millones de oyentes diarios en España, y no sorprende: la radio ha evolucionado en sus contenidos, desarrollando nuevos productos con una base considerable de «tertulias» en un mix válido de temas de actualidad, sociales, políticos y entrevistas. Desde luego, se ha convertido en un medio muy respetado por los oyentes, «consumidores» las 24 horas del día. Han surgido estupendos profesionales del medio, que se han hecho con un espacio considerable en las preferencias del público. Uno de los factores clave es su inmediatez, acompañado por la posibilidad de poder trabajar con escasez de medios y poder estar al lado de la noticia con una sola persona y una grabadora, sin más. Es capaz de trasladarnos al último rincón, y en tantas ocasiones exclusivamente con un teléfono móvil, lo esencial es saber dónde hay que estar y con quién, algo que a menudo se les olvida a otros medios con más posibilidades.

La gran ventaja competitiva de este medio está en la gran polivalencia y adaptabilidad unida a la economía de los aparatos y, sobre todo, su gran utilidad: permite su uso trabajando, estudiando, leyendo, hospitalizado, conduciendo o practicando deporte. En cualquier ocasión, con sólo tener un pequeño aparato se puede conectar con un buen número de emisoras y programas . Es de destacar lo importante que resulta la radio para personas que se encuentran solas, para las que es una vía de comunicación con fantásticos programas que, sobre todo por la noche, acompañan a tantas personas que necesitan sentir que alguien está dispuesto a charlar con ellos: se trata de una labor social de suma importancia.

Pioneros con nombre propio

Hablar de deporte en España es necesariamente pensar en José Mª García. Este gran profesional, por el que siento una gran admiración y una ternura especial, ha sido durante muchos años el único que ha sabido mantener una actitud de verdadero profesional. Podrá gustar o no su forma de hacer la radio, pero lo que ni sus detractores le niegan es su rigor, su personalísima y creativa manera de enfocar los temas y su sagacidad y visión en los planteamientos. Siempre en primera línea de la noticia, ha sabido rodearse de estupendos profesionales, a los que sigue liderando con eficacia cumplidos sus 30 años al pie del micrófono con la misma pasión e ilusión de siempre.

De la misma forma, Luis Del Olmo ha hecho de la radio su vida. Luis respira radio por todos los poros de su ser, y resulta difícil charlar con él sin que la radio y todo lo que su actividad profesional representa sean el centro de su interés. Su programa «Protagonistas» fue pionero en la creación de las tertulias que, por otro lado, tanto juego están dando en la actualidad. Ha incorporado conceptos innovadores en su programa que, al igual que sucede con José Mª García (cada uno en su estilo), otros tratan de imitar con más o menos fortuna.

Iñaki Gabilondo también es un estupendo profesional que, además de ser líder en su franja horaria dentro de la radio española, goza de un gran respeto y consideración, y su trabajo diario demuestra su línea de sobriedad y estilo muy personal.

Julia Otero es, entre los profesionales de la radio española, la mujer que mejor ha sabido posicionarse en cuanto a contenidos, y ocupa un espacio propio y diferenciado también en la forma de dirigir su programa. Sus incursiones en televisión han sido escasas y singulares, y como en ella es costumbre, sus propuestas están elaboradas, y en cada oportunidad ha quedado claro que Julia Otero puede permitirse (como pocos profesionales) hacer aquello que le gusta, sin dejar que la frivolidad o el oportunismo aparezcan en sus propuestas. Su fidelidad a una manera de hacer y sus «cualidades innatas» justifican que no pocos espectadores estén esperando que Julia vuelva a televisión, algo bastante inusual en un medio en el que el tedio y el aburrimiento son la constante.

Si hablamos de Mercedes Milá, hemos de decir que su particular forma de hacer televisión, su osadía y atrevimiento y también su entrega han hecho de ella alguien familiar y cercano. Siempre ha sido innovadora y creativa en sus programas. Sin embargo, su última aparición con Jesús Hermida (un fenómeno del medio junto al que es muy difícil tener un espacio) no fue una buena idea para una profesional como

Mercedes Milá, que tiene la personalidad y capacidad suficientes para dirigir y presentar un programa sin la necesidad de «padrinos». En el mundo del tenis existe un principio, que es que nunca dos primeras estrellas pueden aparecer juntas. ¿Será por lo de la sombra?

Revistas del corazón

Son un producto de consumo masivo que convive con los programas de televisión también dedicados al corazón. Lo que se ha dado en llamar «prensa del corazón» es un pasatiempo para determinadas personas que, según comentan, pueden estar al día de los amores y desamores de los personajes famosos y populares que por determinadas circunstancias atraen el interés de ciertos consumidores, y ya se sabe, si algo se puede consumir hay que producirlo y potenciarlo.

Es una industria entre lúdica y social, ya que su campo de acción preferentemente son los personajes populares, los «guapos» y aquellas personas con imagen pública y todo lo que los rodea profesional o personalmente. Se ha convertido en un medio de vida para los pseudo famosos o cónyuges de alguien, que han encontrado en las exclusivas (reales o ficticias) un filón en forma de ingresos sustanciosos, y que organizan su vida con la única intención de poder ofrecer un reportaje o noticia por la que determinados medios están dispuestos a pagar suculentas cantidades.

Los temas favoritos de este tipo de revista son las bodas, los amores, los desamores, los escándalos, las familias reales y los «guapos» oficiales. Junto a los famosos de turno están los políticos por orden de importancia en cada momento: Presidente del Gobierno, Autonómico, Diputados, etc. Si recordamos la muerte de Diana de Gales podremos hacernos una idea de qué temas y personas son los que realmente interesan a este tipo de publicaciones que lo que pretende, exclusivamente, es atender a su público consumidor.

Prensa y Libros

Ambos productos tienen un público muy definido y concreto, y parece que el consumo está un tanto estancado, y no por producir más se consiguen más lectores, ya que les toca competir con una variedad de productos considerable.

Internet

Está empezando en ámbitos familiares (los profesionales ya son expertos) y en algunos hogares ya tienen lista de espera para poder usarlo. Con toda seguridad a la televisión le ha salido un gran competidor. Como de costumbre, habrá que compartir.

Epílogo

Un buen punto de partida

El sello que distingue un libro de contenido útil resulta inconfundible: tras su lectura, uno se pregunta el porqué no se había escrito antes. De ahí que me parezca de obligado cumplimiento agradecer a su autora el ejercicio analítico que ha realizado sobre un tema del que se ha dicho mucho y no siempre con criterio y seriedad.

El término «emprendedor» se ha llenado y vaciado de contenido en múltiples ocasiones. Esta circunstancia parece lógica, dada la vigencia de su acepción. La audacia y la capacidad de decisión son características que se le presuponen al emprendedor. Pero la práctica cotidiana nos demuestra que con sólo esos atributos no queda garantizado el éxito. Por otra parte, uno puede llegar a cuestionarse en qué dosis deben combinarse para que deriven en una realidad empresarial de solidez inquebrantable frente a las múltiples dificultades que surgen a diario. De ahí la importancia de ofrecer respuestas a quienes puedan interesarse por el tema sin incurrir en la trivialidad.

Cuando una persona emprende un proyecto empresarial, parte de una idea y de una convicción. Superada la fase embrionaria, empieza la gestión de recursos, sean cuales fueren éstos. Por lo tanto, el emprendedor es una persona que fundamenta esa condición en el trabajo constante, el reto permanente y el estudio diario de campo... por consolidado que se encuentre su proyecto inicial.

La evolución que ha experimentado en los últimos años el mundo de la empresa, con la globalización de la economía como máximo exponente de los nuevos tiempos, nos obliga a la activación de nuevas políticas y fórmulas empresariales que redunden en la calidad de servicio y en el beneficio común. Cualquiera de los siete ejemplos de emprendedores que cita Elvira Vázquez en el libro, sirve para situar una realidad tan evidente como que todos nosotros, en más de una ocasión, hemos antepuesto el interés del cliente a la conveniencia propia. Y eso resulta complicado porque, aunque sepamos que así debe ser, no siempre tenemos claro el cómo ni el cuándo.

Por eso es de agradecer que Elvira Vázquez haya escrito este libro que, a mi entender, supone una pauta del todo fiable de cómo funciona el mundo de la pequeña y mediana empresa hoy en día, los «considerandos» a los que hay que atender y, en definitiva, las claves para atisbar el futuro de nuestra economía. Por eso agradezco que la autora me haya brindado la posibilidad de participar en él, a partir de mi experiencia y la de otros compañeros. Creo que los jóvenes valores que lo lean sabrán sacar provecho de él y, los que no somos tan jóvenes... también. Este libro, sin duda, va a tener su espacio en ese ejercicio cotidiano del buen emprendedor que consiste en recabar información útil para fortalecer el espíritu, el intelecto y la empresa.

Jaime Rodríguez,
Consejero Delegado de EUROMADI IBÉRICA

Bibliografía

- La empresa humanista y competitiva
ALVAREZ de Mon, S.
Deusto, Bilbao, 1998

- La continuidad de la empresa familiar
AMAT, J.M.
Gestión 2000, Barcelona, 1998

- Aprender a enseñar
AMAT, O.
Gestión 2000, Barcelona, 1994

- Gestión de la identidad empresarial
ARRANZ, J.C.
Gestión 2000, Barcelona, 1997

- El final de la imaginación

ARUNDHATI, R.
Anagrama, Barcelona, 1998

- Paradigmas
BARKER, J.A.
McGraw Hill, 1998

- El sentido de la realidad
BERLIN, I.
Taurus, Madrid, 1998

- El siglo de las mujeres
CAMPS, V.
Cátedra, Madrid, 1998

- Ética de la empresa
CORTINA, A.
Trotta, Madrid, 1996

- Los siete hábitos de la gente altamente efectiva
COVEY, STEPHEN R.
Paidós, Barcelona, 1990

- Primero lo primero
  COVEY, STEPHEN R.
  Paidos, Barcelona, 1995

- Pasión catódica
  CUETO, J.
  El País-Aguilar, Madrid, 1995

- Seis sombreros para pensar
  DE BONO, E.
  Granica, Barcelona, 1988

- La innovación y el empresa-
  rio innovador
  DRUCKER, P.F.
  Apóstrofe, Barcelona, 1997

- La sociedad postcapitalista
  DRUCKER, P.F.
  Apóstrofe, Barcelona, 1995

- Aprender a filosofar pregun-
  tando
  ECHEVARRÍA, J.
  Anthropos, Barcelona, 1987

- Cosmopolitas domésticos
  ECHEVARRÍA, J.
  Anagrama, Barcelona, 1995

- La sucesión en la empresa
  familiar

- GALLO, M.A.
  «La Caixa», Barcelona, 1998

- La dirección por valores
  GARCÍA, S. y DOLAN,
  Shimon L. McGrawHill,
  Barcelona, 1997

- Inteligencias Múltiples
  GARDNER, H.
  Paidós, Barcelona, 1998

- Inteligencia Emocional
  GOLEMAN, D.
  Kairós, Barcelona

- Estrategias para
  la competitividad
  de las PYME
  GÓMEZ GRAS, J.M.
  McGraw Hill, Barcelona,
  1996

- All consumers are not crea-
  ted equal
  HALLBERG, G.
  Wiley, New York, 1995

- El espíritu hambriento
  HANDY, Ch.
  Apóstrofe, Barcelona, 1998

- Más allá de la certidumbre
  HANDY, Ch.
  Apóstrofe, Barcelona, 1997

- Compitiendo por el futuro
  Hamel, G. y Prahalad, C.K.
  Ariel, Barcelona, 1995

- La Organización del futuro
  Hesselbein, F., Goldsmith, M.
  y Beckhard, R.
  Deusto, Bilbao, 1997

- El Tao del tiempo
  HUNT, D. y Pam Hait
  Gedisa, México, 1992

- Factores de cambio en el
  entorno
  ILUNDÁIN VILA, J.M.
  Esic, Madrid, 1997

- Cómo volver locos a tus
  competidores
  KAWASAKI, G.
  Planeta, Barcelona, 1995

- La madeja del pensamiento
  KRISHNAMURTI
  Troquel, Buenos Aires, 1996

- La estructura de las revolu-
  ciones científicas
  KUHN, T.S.
  FCE, Madrid, 1975

- Chips, cables y poder
  MAJO, JOAN
  Planeta, Barcelona, 1997

- Elogio y refutación
  del ingenio
  MARINA, J.A.
  Anagrama, Barcelona, 1993

- Ética para náufragos
  MARINA, J.A.
  Anagrama,
  Barcelona, 1996

- Teoría de la inteligencia crea-
  dora
  MARINA, J.A.
  Anagrama,
  Barcelona, 1993

- El Árbol del Conocimiento
  MATURANA, H. y
  VALERO, F.
  Debate, Madrid, 1996

- La realidad: ¿objetiva o cons-
  truida?
  MATURANA, H.
  Anthropos, México, 1996

- Real Time
  McKENNA, R.
  Harvard, Boston, 1997

- El comportamiento del
  consumidor
  Múgica, J.M.
  y Ruiz de Haya, S.
  Ariel, Barcelona, 1997

- Liderazgo visionario
  NANUS, B.
  Granica, Barcelona, 1994

- Introducción a la P N L
  O'CONNOR,
  J. y John Seymour
  Urano, Barcelona, 1993

- La mente del estratega
  OHMAEH, K.
  McGraw-Hill, Madrid, 1994

- ¿Qué es conocimiento?
  ORTEGA Y GASSET
  Alianza, Madrid, 1984

- Pasión por la excelencia
  PETERS, T.
  Folio, Barcelona, 1986

- La mente humana
  PINILLOS, J.L.
  Madrid, 1991

- Lo que vendrá
  POPCORN, F.
  Granica, Barcelona, 1993

- Creatividad y comunicación
  persuasiva
  RICARTE, J.M.
  Aldea Global, Barcelona,
  1998

- El fin del trabajo
  RIFKIN, J.
  Paidós, 1997

- El factor humano en la
  empresa
  Rodríguez Porras, J.M.
  Eunsa, Navarra, 1995

- El proceso de convertirse en
  persona
  ROGERS, C.R.
  Paidós, Barcelona, 1986

- El Tao de Jung
  ROSEN, D.H.
  Paidós, Barcelona, 1998

- Maquiavelo para mujeres
  RUBIN, H.
  Planeta, Barcelona, 1997

- The Art of the Long View
  SCHWARTZ, P.
  USA, 1996

- La quinta disciplina
  SENGE, P.M.
  Granica, Barcelona, 1992

- The Profit Zone
  SLYWOTZKY, A.J. y MORRI-
  SON, D.J.
  Times Business, USA, 1997

- Conversaciones con Josep Plà
  SOLER SERRANO, J.
  Áncora y Delfín, Barcelona,
  1997

- La creatividad de una cultura
  conformista
  STERNBERG, R.J.
  Paidós, Barcelona, 1997

- Metaphors of mind
  STERNBERG, R.J.
  Cambridge University, USA,
  1990

- Breve historia del futuro
  SUBIROS, P.
  Destino, Barcelona, 1998

- The Digital Economy
  TAPSCOTT, D.
  McGraw Hill, USA, 1995

- La guerra del siglo XXI
  THUROW, L.
  Vergara, Buenos Aires
  (Argentina), 1992

- La creación de una nueva
  civilización
  TOFFLER. ALVIN Y HEIDI
  Plaza y Janés,
  Barcelona, 1996

- Cómo desarrollar la inteli-
  gencia emocional
  TORRABADELLA, P.
  Integral, Barcelona, 1997

- Los consejos de administra-
  ción y de familia en las
  empresas familiares
  VILANOVA PARES, A.
  IMPIVA,
  Generalitat Valenciana, 1995

- Tratado de la tolerancia
  VOLTAIRE,
  Crítica,
  Barcelona, 1992

- El gurú tramposo
  WATTS, A.
  Kairós,
  Barcelona, 1993

- Teoría de la comunicación
  humana
  WATZLAWICK, P.
  Herder, Barcelona, 1987

- Los tres ojos del
  conocimiento
  WILBER, K.
  Kairós, Barcelona, 1994